IMADR ブックレット 19

ＡＩと差別

編集・発行　反差別国際運動（IMADR）

JN063070

はじめに

　AI の発展がめざましい。しかし AI の世界について私たちはほとんど知らない。人間が作ったその AI が、時には偏見や差別の助長につながると言われる。一方で、差別は数世紀にわたり人間社会に居続けてきた。時代とともにさまざまなにその様態を変えながら、差別は今もある。IMADR は差別、とりわけ人種差別をなくすためにさまざまな活動に取り組んでいる。未だ解決をみない人種差別の問題にとって、AI とはどのような存在になるのか？　それを学ぶための第一歩として、2020 年 3 月 25 日、IMADR は「AI と差別」のシンポジウムを開催した。

　折しも、日本では新型コロナウィルスが猛威をふるおうとしており、感染予防の対応があちこちでとられていた。そのため、このシンポジウムも急きょオンライン開催に切り替えた。IMADR にとっては初めての試みであったが、70 人の方々の参加をいただき、成功のうちに終えることができた。

　このブックレットはそのシンポジウムをほぼ全編書き起こしたものである。当日のプログラムは次頁をご覧いただきたい。古くて新しい「差別」と「AI」がどうつながるのか、本書がそれを知る手がかりになれば嬉しい。

　最後になりましたが、シンポジウムにご登壇いただいた成原慧さん、堀田義太郎さん、明戸隆浩さん、そして宮下萌さんに感謝申しあげます。

反差別国際運動（IMADR）

【オンラインシンポジウム『AIと差別』】

■日時：2020年3月25日（水）14:00〜16:30

■プログラム

　第Ⅰ部　基調講演＆コメント

　　講師：成原慧（九州大学准教授、情報法）

　第Ⅱ部　パネルディスカッション

　　パネリスト：成原慧／堀田義太郎（東京理科大学講師、哲学・倫理学）／明戸隆浩（法政大学特任研究員、社会学）

　　コーディネーター：宮下萌（IMADR、弁護士）

成原　慧

明戸　隆浩

堀田　義太郎

宮下　萌

目　　次

用語解説

AI：AI の定義は様々であり、研究者の間において広く共有される定義は未だ確立していないが、総務省情報通信政策研究所 AI ネットワーク社会推進会議「国際的な議論のための AI 開発ガイドライン案」によると、データからの学習により、利用の過程を通じて自らの出力とプログラムを変化させる機能を有するソフトウェア及びシステムを指す。

アルゴリズム：問題を解決するための方法や手順のこと。問題解決の手続きを一般化するもので、プログラミングを作成する基礎となる。

公平配慮型データマイニング：データの分析において人種や性別など差別の要因となるセンシティブな情報に依存せずに判断を行う方法。

セグメント化：一般に、「セグメント」とは、共通の属性を持った集団として定義されるが、本稿においては、帰属する集団（人種・性別のような典型的な属性を持つ集団よりもはるかに細分化されたもの）の属性に基づき個人の能力等を予測し、評価することで個人のかけがえのなさが捨象されることを意味する。

バーチャルスラム：「劣った」セグメントに属すると評価された者たちが仮想空間上に集まり、形成される「スラム」。

ナッジ：個人の選択の自由を確保しつつ、当人の福利のための選択の環境を改善する手法。

データガバナンス：データ資産の管理を規定し、統制すること。

プロファイリング：自然人に関する特定の個人的側面を評価するために、特に、当該自然人の職務遂行能力、経済状況、健康、個人的選好、関心、信用力、行動、位置もしくは動向を分析または予測するために、個人データを用いておこなうあらゆる形式の自動化された個人データ処理（EU の一般データ保護規則第 4 条（4））。

第 I 部
オンラインシンポジウム
「AI と差別」

基調講演 & コメント

　司会を務めさせていただく宮下です。オンラインシンポジウム「AI と差別」を始めさせていただきます。基調講演に成原慧さん（九州大学准教授、情報法）をお招きし、その後コメンテーターの堀田義太郎さん（東京理科大学講師、哲学・倫理学）と明戸隆浩さん（東京大学特任助教、社会学）に 15 分ずつお話をいただければと思います。最後にパネルディスカッションと質疑応答を考えています。まずなぜ「AI と差別」というテーマで IMADR が主催でシンポジウムをやらせていただくかというと、人種差別撤廃委員会が、レイシャルプロファイリングがテーマの一般的勧告 36 をまだ草案段階ですが準備しています。その中で警察官によるプロファイリングもさることながら、AI プロファイリングの問題を取り上げており、すでに世界的にも大きな話題になっています。それにも関わらず反レイシズムに関わる人と新しいテクノロジーに関わる人との距離が遠く、私たちも勉強不足なところが多いので、少しでも世界的な動きを学びたくて、準備させていただきました。さっそく、成原さんのお話をうかがえればと思います。

AI 時代の差別と公平性

成原　慧　　九州大学准教授

◆ はじめに

　九州大学の成原慧と申します。本日はどうぞよろしくお願いいたします。私も Zoom を使った完全オンラインのシンポジウムはこれが初めてです。小さな国際的ミーティングや打ち合わせ、研究会はありますが、これほど大きな規模のシンポジウムをオンラインで行うのは初めてですが、どうぞよろしくお願いします。簡単に自己紹介させていただきますと、私は九州大学法学部で情報法を研究しています。情報法というと情報に関する法的問題を扱っている分野なのですが、とくにインターネット上の表現の自由やプライバシー、個人情報保護などについて研究してきました。ここ数年はいろいろとご縁があって、人工知能やロボットに関する法的問題を研究しています。

　簡単に略歴めいたことを話しておくと、明戸隆浩さんがいらっしゃる東京大学大学院情報学環・学際情報学府という教育組織で博士課程まで在籍し、そのあと情報学環の助教授を務めていました。情報学環の助教授を務めた後ご縁がありまして、総務省情報通信政策研究所で、2 年ぐらい主任研究官としてお仕事をすることになりました。その際後ほどご紹介する「AI ネットワーク社会推進会議」という会議の事務局のお手伝いをしていました。その会議では AI の開発や利用に関する原則ガイ

ドラインを策定のための調査や研究をしていました。そうした経験もあり、AIやロボットの法的問題を研究して、今に至ります。自己紹介はこのくらいにしておいて、本日の講演ではシンポジウムのテーマが「AIと差別」ということで、AI時代の差別と公平性の在り方について、AIによる差別の現象のメカニズムを探求した上で、関連する倫理規範や法的規範を概観することにより、AI時代における公平性の在り方について考えたいという趣旨でお話しできればと思っております。

◆ AIの学習は予見や制御が困難

　まず最初に、AIというのはどういうものなのか、いかなる特性を持っているのかについてお話をした上で、AIによる差別のメカニズムについて見ていきたいと思います。その上で近年では国内外でAIに関する倫理規範、法規範が多数形成されるようになっていますので、その中でもとくに公平性に関する規範を中心に概観していきたいと思います。最後に以上の議論を踏まえて、AI時代の差別と公平性の意味について若干の問題提起をしたいと思います。

　まずAIと差別の関係について考える前提として、AIとは何かを確認しておきたいと思います。AIとは何かということについては専門外の私が語るのもおこがましいのですが、実は人工知能の専門家の間でも定義のコンセンサスが必ずしもないのが実情のようです。AIは英語の"artificial intelligence"の略ですが、日本語では人工知能と訳されることが一般的です。人工的に作られた知能ということで、人によっては「知能を有する機械」と定義をされている方もいらっしゃいます。ただここで問題になるのは、「知能とは何か」という問題です。そもそも私たち人間は知能を持っているとされていますが、「人間の知能とは何か」ということ自体が完全には解明されていないものだと言われています。そうなると結局、「知能とは何なのか」という問題が出てきて、人工知能を仮に「知能を有する機械」と定義したとしても、問題は解決しない

ように思われます。こうしたこともあってAIの研究者の中でも、人工知能、AIという名前の付け方自体がミスリーディングだったのではないかとおっしゃる方もいて、あたかも知能があるかのような印象を与えてしまいますが、実際は人間の知能に類似していたり、あるいは人間の知能に近い機能を持っているように見えている機械を作っているに過ぎないのではないかということをおっしゃる方もいます。人工知能の定義をし始めると、「知能とは何なのか」という哲学的な議論に入り込んでいくのでなかなか難しいところがあります。

　もう少し機能的にAIを定義できないかということで紹介したいのが、先ほども名前を出した総務省のAIネットワーク社会推進会議の議論です。ここではガイドラインを作っていますが、その際にもAIをどう定義するかについて、人工知能学者や法学者といろいろ議論したのですが、結局のところ機能的に提示するということになりました。AIの何が新しいかというと、従来のソフトウェアやシステムというのは基本的に、プログラムされた通りに動くものを前提にして作られていました。それに対してAIは、この10年ぐらいの間に飛躍的に発達した機械学習や深層学習を利用したデータから学習して発展していくタイプが有力になっています。AIはデータから学習していくものなので、利用の過程を通じて出力やプログラムを変化させいく機能を有する点に最大の特徴があるように思われます。したがって、そうした特徴を踏まえて「データからの学習により、利用の過程を通じて出力やプログラムが変化する機能を有するシステムやソフトウェア」といった定義をしています。

　このように「学習による特性の変化」という特性に着目すると、AIならではの問題が見えてくるのではないかと思います。つまり、AIというのは利用をしていく中でデータから学習をして、その機能や出力を継続的に変化させていくものなので、開発者であっても予見したり、あるいは制御することが不可能だったり、または困難なリスクが生じるおそれがあります。法的には不法行為責任だとか、あるいは刑事責任が問

われた際に、開発者に予見可能性が認められるのかどうかということが問題になってきます。たとえば自動運転車が事故を起こしてしまったとしても、その事故の原因はプログラムの欠陥にあったのか、それともプログラム自体には欠陥はなくてもそれが利用される中で誤ったデータや偏ったデータを学習することによって、何らかの欠陥が生じて事故が起きてしまったのか。後者の場合には開発者に予見可能性であるとか、あるいは開発者によるプログラムの設計と事故との関係に因果関係を求めるのが難しくなるのではないか、といった議論も法学者の間では行われています。

◆ 国際的なガバナンスの枠組みが必要に

このような AI の特性というのは、本日のテーマである差別とも関わってきます。非常によく知られている例で言うと、マイクロソフトが「Tay」という Twitter で使われる AI ボットを開発しましたが、この Tay が Twitter のユーザーと会話していたところ、ユーザーの多くがいたずらやふざけ半分で Tay に対して「ヒットラー万歳」とか「ユダヤ人は死んでしまえ」といった差別的な発言を話しかけたことによって、この Tay がヘイトスピーチを学習してヒットラーを礼賛したり、差別的な発言をするようになってしまいました。これに慌てたマイクロソフトは Tay を緊急停止したという事件があります。マイクロソフトは開発するときに差別的な意図でプログラムを設計したわけではないのですが、ユーザーと会話する中で、ユーザーからある意味で不適切なデータを学習することによって、ヘイトスピーチをするようになってしまったのです。まさにこの事件は学習によって思わぬ変化をしてしまった、AI の特性がよく現われた事件なのではないかと思われます。

先ほど AI ネットワーク社会推進会議の話をしましたが、この会議ではとくに AI がネットワークを通じて社会に繋がるということに着目して議論をしてきました。コンピュータが単独で使われたとしても、たと

えばゲームをしたり文章を書いたりといろいろな機能を発揮できますが、それがインターネットを通じて相互に接続することによって、社会に大きなインパクトを与えます。それと同様に、AIは単独で機能するだけではなくてネットワークを通じて繋がることによって、世界に大きなインパクトを与えるのではないかという見通しのもとに議論が行われてきました。AIがインターネットを通じて相互に繋がると、国境を越えてインパクトを及ぼすことになりますので、国際的なガバナンスの枠組みというものが必要になってきます。こうしたこともあり、AIのガバナンスの在り方については一国の中だけでそれぞれの国がルールの在り方を検討するだけではなくて、国際的なルールの枠組みというものも検討していく必要が出てきています。

　これは私が書いたイメージ図（図表　AIとその特性）ですが、最近はAIと並んでビックデータやIoTなどがよくニュースなどで使われていますが、この3者は密接に関係しています。従来のネットに加えてIoTと言われる「モノのインターネット化」がさまざまなモノを繋げることによって、あらゆるヒトやモノからデータが収集される。これがデータの集積であるビックデータを形成します。そのビックデータに基づいてAIが学習し分析をして私たちにさまざまなサービスを提供してくれるため、AI、ビックデータ、そしてIoTが三位一体となって、私たちの社会を大きく変革していくと言われています。

◆ なぜAIは差別をしてしまうのか

　それでは本題である「AIと差別のメカニズム」について見ていきたいと思います。ご存知の通り最近では、AIは人事・採用の判断、融資・保険の審査、量刑判断などさまざまな場面で活用されるようになっています。その反面でそれらの判断を行う際に差別的な判断を行ってしまうおそれがあることが指摘されています。

　なぜAIが差別をしてしまうのか。いろいろな原因が考えられますが、

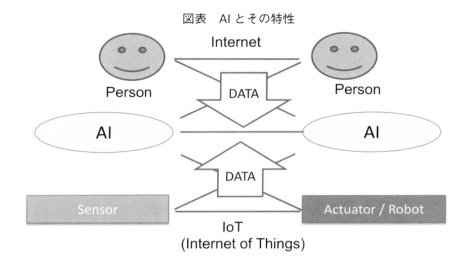

図表　AIとその特性

私なりに整理してみると4つぐらいに大きく分けることができるのではないかと思います。

　まず1つ目がアルゴリズムの設計です。開発者が差別的な意図を持ってアルゴリズムを設計することなどにより生じるものです。たとえばAIのプログラマーが特定の人種民族に対して偏見を持っていて、特定の人種民族に対して不利になるようなアルゴリズムを設計していた。その結果、そのように設計されたAIが差別的な判断を行ってしまったということが考えられます。しかし現実には、このような悪意を持った開発者というのはそれほど多数いるわけではないでしょうから、問題になることは少ないかと思います。ただ、アルゴリズムの設計に伴う別の可能性というものも考えられて、必ずしも悪意を持って差別的な意図で開発したわけではないが、意図せずして差別的なアルゴリズムを設計してしまうということも考えられます。たとえばAIを開発する企業のエンジニアが男性だけで構成されていたという場合には、どうしても女性の視点というのは欠けてしまうかもしれない。そうすると無意識のうちに女性にとって不利なアルゴリズムの設計をしてしまう、という可能性も

考えられます。

　こうしたリスクを踏まえて、最近のアメリカやヨーロッパの AI の倫理に関する議論では、AI の開発者の中にもダイバーシティを確保することが必要なのではないかということが言われるようになっています。先ほどの例からもわかるように開発者が特定の属性に偏っていると、その開発者が作り出す製品というのはどうしても偏ったものになってしまうおそれがあります。そうした観点からも、できるだけ開発者の中にダイバーシティを確保することが必要だと言われるようになってきています。これが 1 つ目の原因です。

　2 つ目の原因はより重要なもので、データからの学習によるものです。これは先ほどの Tay の事例にも現れたものですが、これについてはさまざまな議論があるので後ほど詳しく取り上げたいと思います。

　3 つ目は属性に基づく判断と言われるものです。これはどういうことかというと、AI は個々の個人に着目するのではなくて、個人の属性に基づいて判断をしますので、どうしても 1 人ひとりの個人に着目するのではなく、その人をデータの束として捉えてしまう。それに伴って人々が、その人が属する集団に基づいて判断されてしまうという問題です。これについてもさまざまな議論がありますので、後ほど詳しく取り上げたいと思います。

　最後の原因ですが、これはアカデミックにはあまり議論されることが少なくて、国内外の AI に関する原則でもあまり言われていないのですが、現実にはこういうことは結構あるのではないかと最近私が思っているのが、人間による AI への責任転嫁という問題です。これはこの後、明戸さんからも関連するお話があるのではないかと思いますが、実際には人間が差別的な判断をしたにも関わらず、AI のせいにしてしまうという問題です。AI が判断したから私はこういう差別的な判断をしてしまいましたみたいな言い訳をするというものです。人間が判断したにも関わらず、判断根拠は AI にあるとして、AI に責任転嫁する。これは現実にあるかどうかはわかりませんが、重要な問題ではないかと思いま

す。とはいえ、これまで議論の蓄積があるのはこの中でも、2の「デー
タからの学習に基づく差別」と、3の「属性に基づく判断に伴う差別」
なので、この2つを詳しく見ていきたいと思います。

◆ データの偏りが AI の差別要因に

　まずデータからの学習に伴う差別なのですが、アメリカの連邦取引委
員会（FTC）が2016年にビックデータの利用に伴う包摂と排除につい
て報告書を出していますので、そちらの議論をベースに検討していきた
いと思います。データからの学習に伴う差別にも、大きく分けて3つの
原因が考えられます。

　まずデータの代表性と言われるものです。これはどういうものかとい
うと、AIの学習等にデータセットの中に、多様なコミュニティのデー
タが適切に代表されていないことによりAIが不公平な判断を行ってし
まう恐れがあるという問題です。

　たとえば、ハリケーンの被害に対して政府や自治体が対象を絞る際
に、インターネットやビックデータを活用しようという方針のもとに、
Twitterのツイート数等で優先的に救助される被災者を判定しようとす
るケースです。一見先進的ですぐれたアイディアに見えますが、ネット
にアクセスしにくい人たちが多く居住する地域が後回しにされるおそれ
が懸念されます。どういうことかと言うと、本当に被害に遭っている人
はスマホもネットも使えない状況で、そもそもTwitterに投稿できない
可能性がある一方で、被害には直接遭っていないけれど、ニュースを見
て台風やハリケーンの被害に関心を持った人はTwitterに投稿する余裕
がある。機械的にツイートの数に基づいて判断すると、余裕のある地域
が優先的に救助されるべきだという、誤った判断されてしまうおそれが
ある。それに基づいて差別的な判断が行われてしまうおそれがあるとい
う例です。

　現実にあった例としては、アメリカのボストン市の実験が挙げられま

す。これは、市に道路状況を報告できるスマホアプリを開発して実証実験を行ったもので、具体的には、自分の身の周りの地域の道路が壊れていたりしたら市に報告して改修してもらうアプリです。一見すぐれたアプリに見えますが、スマホを持っていたり先進的なアプリをインストールできる人はお金に比較的余裕があることが多いし、リテラシーが高い層であることが多い。そうなってしまうと、貧困地域に住む人たちや低所得層の人々が過少に代表されてしまい、かえって彼らの住む地域の道路や公園の修復がされにくくなってしまう。そういう問題が指摘されています。

　また最近では、日本でも空港などには顔認証の技術が取り入れられていて、カメラで顔を認証していろいろなサービスが提供されるようになっています。顔認証を開発しているのはIT企業ですが、いろいろな人の顔をデータ化する際、どうしても白人の顔ばかりをAIに学習させてしまうことが多い。そうすると白人に対応しやすい顔認証システムができてしまう。白人の顔については正確に認識できるが、黒人やアジア系の顔が正確に認識できない、認識しにくいものが開発されてしまうおそれがあるということも指摘されています。

◆ バイアスの再生産や不正確な予測なども影響

　2つ目の類型としては既存のバイアスの再生産という問題です。先ほどはデータの母集団の中で取ってくるデータに偏りがあるという問題だったのですが、こちらの場合はもともとのデータ自体にバイアスが内在しているという問題です。つまり現実の社会自体にバイアスがある場合、AIがそれを学習してバイアスを再生産してしまうおそれがあるという問題です。これは日本でも報道されたのでご存知の方も多いと思いますが、Amazonが自社サイトのエンジニア職の応募において、これまでは男性が多かったという条件のもとで過去の応募者の履歴書のデータをもとに応募者を評価するAIを開発しようとしたところ、AIが男性

の応募者を優遇し、女性の応募者を不利に扱うおそれが明らかになりました。そのため Amazon はシステム開発を取りやめたという事例が知られています。

　これも似たような事例ですが、従来の医師に占める女性の割合が少ないと、それを反映して AI が「女性は医師に向いていない」という差別的な判断を行ってしまうおそれが指摘されています。

　また、これは Google で実際にあった事例ですが、アフリカ系の人名で検索すると、ヨーロッパ系の名前で人名検索したときよりも、逮捕歴を示唆する広告が表示されやすいという問題も指摘されています。アフリカ系の人が自分の名前や友達の名前を検索すると、「刑事弁護人を手配できます」という広告が表示されやすくなっていて、白人の名前の場合はそういう広告が表示されることが少ない。これ自体も Google が意図的に設計をしたわけではなくて、もともとアフリカ系の人はそういう広告をクリックすることが多いというデータに基づいて表示していたところ、結果として差別的な事例になってしまったということだと思います。

　3つ目が不正確な予測に基づく差別という問題で、これはデータの分析により発見された疑似相関等に基づいて、不正確な予測が行われることにより、一定の集団が差別されるという問題です。

　よく言われるように、AI は相関関係を発見するのが得意ですが、その相関関係にどのような意味があるのかを解釈したり、そこから因果関係を導いたりするのは必ずしも得意ではないと言われています。AI は相関関係に基づいてさまざまな予測を行うことについては得意ですが、これはうまく働くこともあれば失敗することもある。たとえばこれも Google の検索を使った実験のようですが、Google のリクエストに基づきインフルエンザの発生地を予測したところ、当初は正確な予測が示されたものの、次第に不正確な予測が示されるようになったという問題です。今で言えば新型コロナウィルスがどこで感染が広がっているかということを、人々の検索リクエストに基づいて予測するというものです。

おそらくいろいろな相関関係を作るのが得意なので、たとえば「マスク」のようなワードが検索されているところを見つけることによって、感染が広がっていることを発見するのは得意なのですが、ただその相関関係はさまざまなファクターが出てきているので、必ずしも普遍的に妥当するとは限らず、状況が変わると必ずしも妥当しなくなる可能性もあります。

　ということで、このインフルエンザ予測のように、最初は正確に予測していたが、次第に不正確な予測がされるようになってしまう。これ自体は差別に直接関わる例ではないと思いますが、同じようなメカニズムが働くと、特定の人に対して差別的な判断が行われるおそれがあるということだと思います。

　このようにさまざまな要因によって、データからの学習に基づく差別というものが発生するおそれがありますが、データの学習に起因する差別を防止する技術も、最近では開発されるようになってきています。代表的なものとしては公平配慮型データマイニングというものがあります。これはデータを分析する際に人種や性別など、差別の要因になるセンシティブな情報に依存せずに判断を行う方法のことです。

　ただ私は専門家ではないので、必ずしも正確に理解できているか自信はないのですが、専門家の方が書かれた論文などを読んでいると、人種に影響を受けずに判断を行うためには、人種の情報を活用せずに判断を行うだけでは必ずしも十分ではなくて、人種と相関する情報、たとえばアメリカではアフリカ系の人は都心部に住んでいるけれども、裕福な白人の人は郊外に住んでいたりするなど、居住地域が人種によって分かれていることが多いので、人種の情報を使わなくても居住地域の情報などによって、差別的な判断に繋がってしまうおそれがあります。こうした相関する情報にも配慮して人種に影響を受けずに判断を行う必要がある。これはなかなか簡単ではないようですが、こうした公平性に配慮するデータマイニングの研究開発も進んでいます。

　ここまでがひとまとまりで、先ほど整理した4つの要因のうちの2つ

目のデータからの学習に起因する差別について見てきましたが、次は属性に基づく判断に伴う差別について見ていきたいと思います。

◆ AI は人間を属性の束として捉える

　この問題については日本では憲法学者の山本龍彦先生が詳しく論じてらっしゃるのでご存知の方もいらっしゃるかもしれませんが、AIというのはデータに基づいて判断しますので、基本的には個人を1人ひとりかけがえのない主体として扱うのではなく、属性の束として扱うことになります。私であれば「30代男性、大学教員で福岡に住んでいて子どもがいて」といった属性の束で扱います。そうなってくると、たとえば30代の男性にコンビニでこういうものが売れやすいだろうという予測に基づいて、ターゲティング広告を展開するようなことが行われることになっています。これは個人の尊厳や平等にどんなインパクトをもたらすかというと、個人のセグメント化につながるのではないかという問題が指摘されています。つまり帰属する属性の集団により個人の能力を予測評価するので、個人のかけがえのなさが消失してしまっているのではないかということです。これは前近代社会において、身分に基づく差別が行われていたのと同様の問題があるのではないかという疑問が生じます。つまり個人を1人ひとりかけがえのない存在として尊重するのではなくて、あくまで集団の属性に基づいて差別しているのではないかということです。近代の自由で平等な社会が前近代社会に戻ってしまう兆候ではないかという指摘もあります。

　さらにこうした個人の属性に基づく判断が行われるようになるに伴って、個人が自らの力で自分の人生を選択したり切り拓くことが困難になってくるおそれも考えられます。そうなってくるとスラム街出身の人たちやその子どもはそこから出ていけなくなってしまうのと同様に、バーチャルな世界にもスラムが形成されてしまって、人々の階層が固定化されてしまうのではないかという問題も指摘されるようになっています。

これも重要な指摘ですが、いくつか疑問も思い浮かぶのではないかと思います。

　たとえば個人を集団の属性に基づいて判断するというのは、これまでも人間は行ってきたのではないかという疑問です。たとえば就職の選考において出身大学を考慮するというのは、ある種の個人のセグメント化と言えそうです。出身大学だけではなくてその人が体育会系に所属していたとか、そういったさまざまな属性の束に基づいて個人を評価することは、従来から人間が行ってきたことで AI 固有の問題ではないのではないかという疑問も出てきそうです。ただ、人間は所詮は限られた情報に基づいて判断しているので、もし不採用になったとしても理由が推測できるので、それに基づいて改善することにより再チャレンジできる可能性があります。人間であれば人間の面接官は確かに偏見を持っていますが、偏見は人それぞれなので「この会社には通らなかったけれど、別の会社には入れた」ということが考えられるのに対して、AI を開発するプラットフォームが独占・寡占状態にある場合には、その判断から逃れることが困難になってきます。つまり、有力な IT 企業が作った AI ソフトを多くの会社が採用に使う可能性がある。そうなってくると、その AI のアルゴリズムにはじかれてしまった人は、どこの会社にも入れなくなってしまうことが考えられる。そういう反論も可能かと思います。いずれにしても、従来の人間による差別と AI による差別はどこまで実質的な相違があるかを改めて考える必要があると思います。

　ここまで AI による差別のメカニズムを簡単に見てきましたが、このようなメカニズムを踏まえて、関連する倫理規範、法規範について考えていきたいと思います。

◆ 人間の尊厳と個人の自律の尊重が AI 開発の原則

　ここ数年で策定された国内外の AI に関連する倫理規範などを並べてみますと、AI がこの数年で急激に発展し、メディアなどでも大きく注

目されるようになったのに伴って、世界各国や世界のステークホルダーにおいて AI の倫理的な問題に対処するために、原則や指針が策定されるようになっています。

　その中にはプライバシーの尊重、セキュリティの確保、個人の選択の自由の確保、安全性の配慮などの原則が盛り込まれていることも多いのですが、多くの原則指針の中に、公平性や平等に関するものも盛り込まれています。それだけ AI の倫理において公平性や平等が重視されているということが、見て取れると思います。その中でもいくつか重要だと思われるものを取り上げていきたいと思います。

　まず日本の総務省の AI ネットワーク社会推進会議が取りまとめたものとして、「AI 開発原則」（2017 年）と「AI 利活用原則」（2018 年）（以上、巻末資料参照）があります。前者は AI の開発者向けに作られた原則で、後者は AI の利用者向けに作られた原則です。公平性に関するものとしては、開発原則の中では倫理の原則、利活用原則の方は公平性の原則が関わってきます。

　開発原則の倫理の原則では「AI 開発者は AI システムの開発において、人間の尊厳と個人の自律を尊重する」と述べられており、その開発の中で「開発者は開発する技術の特性に照らし可能な範囲で、AI システムの学習データに含まれる偏見などに起因して不当な差別が生じないよう、所要の措置をつとめることが望ましい」とあります。

　また利活用原則では、公平性の原則、「利用者は AI システムの判断によって個人が不当に差別されないように配慮する」とあり、その解説として「AI の学習等に用いられるデータの代表性やデータに内在する社会的なバイアスに留意する」と述べられています。これは先ほどのアメリカの連邦取引委員会（FTC）の報告書の理論などを踏まえたものとなっていると思います。

　また内閣府でも、「人間中心の AI 原則」が 2019 年 3 月に策定されています。

　7 つの原則が示されているのですが、ここでは 6 つ目の「公平性、説

明責任及び透明性の原則」に着目したいと思います。

この原則の中では以下のようなことが述べられています。

●公平性、説明責任及び透明性の原則

「AI-Ready な社会」においては、AI の利用によって、人々が、その人の持つ背景によって不当な差別を受けたり、人間の尊厳に照らして不当な扱いを受けたりすることがないように、公平性及び透明性のある意思決定とその結果に対する説明責任（アカウンタビリティ）が適切に確保されると共に、技術に対する信頼性（Trust）が担保される必要がある。

AI の設計思想の下において、人々がその人種、性別、国籍、年齢、政治的信念、宗教等の多様なバックグラウンドを理由に不当な差別をされることなく、全ての人々が公平に扱われなければならない。

海外においてもこうした公平性を含む AI の倫理原則というのは、さまざまなステークホルダーによって策定されています。

アメリカでは「アイ・トリプル・イー（IEEE）」という世界的な工学系の学会があるのですが、この学会が AI に関する報告書を取りまとめており、その中でも平等や公平性を確保することの重要性が謳われています。

また、IEEE は国際的な技術標準を策定している団体でもあり、AI の倫理に関する技術標準の策定も進めています。その中には、バイアスをいかに考慮すればよいのかということについての技術標準も含まれています。

一方欧州においてもガイドラインの策定が進められており、欧州委員会（EC）は 2019 年 4 月に、信頼に値する AI を実現するためのガイドラインを策定しています。このガイドラインでは「多様性、非差別および公平性」という原則を掲げています。

この「多様性、非差別および公平性」の原則の中身を見ていきますと、

データに含まれる歴史的なバイアスやデータの不完全性に配慮すること
が述べられています。興味深い点として、データの学習による差別だけ
ではなくて、プログラム段階でのバイアスにも留意すべきだということ
が述べられている点が挙げられます。

◆ AI の公平性に関する規範への各国の取り組み

　また、このようなた国際的な議論を踏まえて、OECD においても国
際的な倫理原則を作ろうという検討が進められてきました。
　2019 年 5 月に OECD の理事会勧告として、AI に関する原則が採択
され、その原則のひとつとして、「人間中心の価値および公平性」とい
うことが謳われています。OECD の AI 原則は、2019 年に大阪で開催
された G20 首脳会合においても、同原則を参照するかたちで AI 原則が
採択されています。この OECD の原則の 2 つ目の「人間中心の価値お
よび公平性」の中でどういうことが言われているかというと、「AI に関
するアクターは、AI システムのライフサイクル（設計、実装、運用など）
を通じて法の支配、人権および民主主義的な諸価値を尊重しなければな
らない」ということが述べられています。
　それらの中には、自由、尊厳および自律、プライバシーおよびデータ
保護、非差別および平等、多様性、公平性といった、本日のシンポジウ
ムのテーマに関係する価値が並べられています。
　これまでは法的拘束力のない倫理規範を中心に見てきましたが、法的
規範の中でも、AI の公平性に関係する規範の形成が進んできています。
　EU の一般データ保護規則（GDPR）は、2018 年 5 月から適用される
ようになっているものですが、こちらではプロファイリングに関する規
定がなされています。AI プロファイリングは、個人の能力や特性など
を AI のデータに基づいて予測をしたり評価をしたりするものです。た
とえば融資の審査や就職試験、あるいは量刑判断などさまざまな場面で
用いられるようになっていますが、これは個人のプライバシーとの関係

だけではなくて、公平性の確保の観点でもリスクがあるのではないかということが指摘されるようになっています。EU の一般データ保護規則は日本で言うと、個人情報保護法に相当する個人データを保護するための枠組みですので、直接平等とか公平性などを保護する枠組みではないのですが、おそらくこのプロファイリングに関する規制も公平や平等といった価値を考慮して、規制が設けられたと考えられています。

GDPR の中ではプロファイリングを含む個人データの取扱いに対する異議申立てをする権利（21 条）が認められているとともに、プロファイリングを含む自動化された意思決定に服さない権利（22 条）というものも規定されています。

一方、日本の個人情報保護法は、プロファイリングに対する直接規制はありません。もっとも、関連する規定として要配慮個人情報に関する規定があります。これは「本人の人種、信条、社会的身分、病歴、犯罪の経歴、犯罪により害を被った事実その他本人に対する不当な差別、偏見その他の不利益が生じないようにその取扱いに特に配慮を要するものとして政令で定める記述等が含まれる個人情報」（2 条 3 項）のことです。

日本の個人情報保護法では、個人情報の取得には原則として本人同意が不要なのですが、要配慮個人情報についてはそれが使われることによって不当な差別や偏見に繋がるおそれがあるので、取得する際には原則として本人同意が必要（17 条 2 項）になっています。これもある意味では、平等や公平性の価値を考慮した規制と言えるのかもしれません。ただ、プロファイリングに対してこの要配慮個人情報の規制が及ぶかというと、一般的には及ばないと解釈されています。

それはなぜかというと、プロファイリングというのは、個人の病歴や信条などを単に推測しているに過ぎないのであって、要配慮個人情報自体を「取得」しているわけではないという理解が取られているからです。その理解のもとに、プロファイリング自体は要配慮個人情報の規制がかかるものではないという理解が取られています。もっとも、日本においてもプロファイリングには規制が必要という議論が行われるようになっ

ています。

　皆さんもご存じだとは思いますが、2019年に、リクルートキャリアが就活生から有効な同意を得ずに、AIを用いて予測した就活生の内定辞退率のデータを企業に有償で提供したということが報道されて大きな問題になり、個人情報保護委員会も勧告および指導を行っています。

　一方日本の個人情報保護法などにおいては、プロファイリングに対する法規制はまだ存在しないまでも、倫理規範の間では形成が進んでいます。

　たとえば、パーソナルデータ＋α研究会という民間の研究会が取りまとめた、「プロファイリングに関する提言案」が存在します。私もメンバーの1人で、法学者やAI研究者、弁護士などがメンバーになっている研究会です。その中で、企業に対してはプロファイリングに関するコンプライアンス体制等の整備が求められるとされています。活用等に当たっては、コンプライアンス体制を整備すべきであり、その際にはプロファイリングがプライバシーのみならず、平等や公正概念との関係でも問題になり得る点に留意すべきであるということで、平等や公平性の関係でもプロファイリングの取扱いに留意する必要があるということが述べられています。

　これはもちろん民間の会議が出した提言なので法的拘束力のないものですが、こうした提言を踏まえて企業や業界団体が自主規制などの取り組みを進めていくことが期待されています。

◆ AIの判断における法的義務とは

　これまで見てきたように、基本的に国内外においてAIの公平性に関する規範形成が進められていますが、GDPR等を除くと倫理規範のレベルで、法的拘束力のない規範の形成が中心になっています。これはなぜかと言うと、AIの技術はまだ発展途上であるものの急激に発展しており、その中で具体的にどのような法的規制をするべきかのコンセンサス

も定まっておらず、そもそもの立法事実も十分に確定されていないからです。そのため、まずは法的拘束力のない倫理規範、あるいは自主規制のレベルで規範形成を進めていこうということで、社会的に倫理規範のレベルで、公平性も含めて AI に関する規範形成が進んでいます。

　ただ、公平性との関係でも、AI が何らかの差別的な判断をしてしまって個人の権利を具体的に侵害する場合は、AI を利用していたとか、開発した主体への法的責任を問える余地はあるのではないかと思われます。つまり AI に特化した法規制がなかったとしても、平等や公平性の配慮を求めることを趣旨とする法規範を、従来の法規範の中にも見出すことができますので、一定の場面では AI を開発する主体や利用する主体が公平性に配慮したり、AI による差別の防止する義務が課せられる場合もあるのではないかと考えられます。

　ただこれは一概には言えなくて、AI の判断の公平性の確保や差別の防止に関する法的義務というのは、文脈によって異なってくるのではないかと思います。おそらく法的には AI の判断の公平性というものは一律に求められるべきものではなくて、利用主体や利用方法によって、公平性の確保や配慮の在り方が変わってくる可能性があるものではないかと思います。非常に大雑把にまとめてみますと、大きく 2 つの場合に分けることができると思います。国や地方公共団体の機関に対しては、憲法 14 条の平等原則が直接適用されるため、国や自治体の機関が AI を利用して個人の権利利益等に関わる判断を行う場合には、常に差別の防止や公平性の確保に配慮することが求められるのではないかと思います。

　一方、企業をはじめとする私人が AI を利用して個人の権利利益等に関わる判断を行う場合には、憲法の平等原則は直接適用されないものの、民法の一般条項、労働法や各種の業法等の規制を通じて、一定の場面では、平等原則の趣旨を尊重し、差別の防止や公平性の確保に配慮することが求められるのではないかと思われます。

　基本的なところを確認しておきますと、日本国憲法の 14 条 1 項では、

「すべて国民は、法の下に平等であって、人種、信条、性別、社会的身分又は門地により、政治的、経済的又は社会的関係において、差別されない」ということが定められています。国はすべての国民を平等に取り扱わなければならず、合理的な根拠なく差別してはならないということが要請されるわけですが、憲法の人権規範には国や地方公共団体など公権力に対して適用されると考えられていますので、民間企業など私人が差別的な判断をしたからといって、必ずしもただちに憲法 14 条の平等原則に違反するとは限りません。ただ、だからといって民間企業をはじめとする私人は差別をしても法的には何の問題もないかというと、必ずしもそうではなくて、たとえば民法 2 条では「この法律は、個人の尊厳と両性の本質的平等を旨として、解釈しなければならない」という基本原則が定められています。

　また、民法 90 条では「公の秩序又は善良の風俗に反する事項を目的とする法律行為は、無効とする」と定められています。公の秩序に反する契約は無効と定められています。

　この公の秩序という概念の中に、先ほど見た憲法 14 条第 1 項の憲法的価値を読み込んで、間接的に私人の行為に対しても憲法上の平等原則が適用される余地があると、これまで判例や憲法学者によって考えられてきました。

　最近でも医学部における女子受験生に対する差別的な取扱いが問題になって、受験料の返還を求める訴訟も提起されています。これは私立大学による差別ですが、憲法 14 条 1 項の趣旨を踏まえて得点調整は違法であるという判断が示されています。

◆ AI における公平性は、社会で広く議論されるべき

　最後に、AI 時代の公平性について若干の問題提起をしておきたいと思います。そのことを考える重要なヒントになるものがありまして、これは明戸さんからもお話があると思いますが、人工知能関連の学会が公

表した「機械学習と公平性に関する声明」(2019年12月) というものです。その中で2つのことが謳われていまして、まず1つ目は「機械学習は道具にすぎない」ということで、2つ目は「私たちは機械学習で公平性に寄与する」ということです。それぞれ述べられている解説に興味深い点があって、1つ目の方は「機械学習は過去の事例に基づいて未来を予測しるため、偏りのある過去に基づいて予測する未来は、やはり偏りのあるものになりかねない。同時に、『何が公平か』については、科学技術や工学だけの問題ではなく、現在の人類社会が何を求めているか、という価値観の問題抜きには語れない」ということが述べられています。

2つ目の点についても「機械学習を通じて公平性とは何かということを形式化する研究がおこなわれている」とあります。つまりは「何を人々が公平と考えるか、様々な基準を機械学習の言葉で表現しなおすことによって、『公平』という概念をより明確なものにしていくこともでき、機械学習は公平性の在り方を定義、議論することにも寄与する」ということが述べられています。

ここで私が興味深いと思った点は、公平とは何かとか、偏りとは何かということ自体が、実はAI研究者の中だけでは決められず、広い社会的な議論を必要としているということが述べられているのだという点です。

ここは私たちの側に問題や問いかけが返ってきて、私たちの社会においても、情報学や社会学、哲学の専門家も同じような認識ではないかと思うのですが、この「公平性とは何か」や「バイアスとは何か」ということに関しては、必ずしも完全な答えが用意されているわけではない。この根本的な問いかけをAIによる差別は問いかけているのではないかということです。

こうした根本的な問題とともによりプラグマティックに言うと、AIが我々の社会における差別を可視化し、差別への対応の在り方を問い直しているのではないかということが問われていると思います。

なぜそういうことを言うのかというと、これまで見てきたように結局

のところ、「AIによる差別」とカッコ付きで言ってきましたけれど、AI自体が差別を生み出しているというより、人間がこれまで生み出してきた差別の構造を、AIがデータから学習することなどを通じて、AIが差別的な判断を反復・再生産・増幅しているというのが実情なのではないかと考えられるからです。

　このような認識を踏まえると、AIによる差別というものを文字通りにAIの問題として受けとめるのではなくて、AIによる差別と認識されている問題を通じて、我々の社会における差別の在り方とか、バイアスの構造などを改めて考え直していくということが求められているのではないかと、私自身は今のところ思っています。

　駆け足になりましたが以上です。ご静聴ありがとうございました。

「AIと差別」という問題系

明戸　隆浩　法政大学特任研究員

◆「AIに責任を帰属させる」問題について

　では私の方からコメントいたします。今日は成原さんが法学の観点、堀田さんが倫理学の観点、私が社会学の観点という分担になっています。

　今回テーマがAIと差別ということで、企画のときからすごく大事な仕事だと思っていました。直接きっかけになった問題としては、この3月まで東京大学情報学環所属だったAI研究者の大澤昇平氏が、昨年11月にTwitter上で中国人差別発言をしたということがあります。もともとAIということには興味がなくはなかったのですが、はっきり関心を持ったのはこの時でした。Twitterなどを見られていた方はご存じかと思いますが、大澤氏はその後さらにひどい言説を繰り返し、最終的に解雇になりました。この事件自体については今日は詳しく論じませんが、ここでひとつだけ言っておかなければと思うことがあります。大澤氏が解雇処分になったときに、東大は既存の基準に基づいて「大学の名誉を著しく傷つけた」という判断をしました。既存の基準を使うということはある意味では仕方がなかったと思いますが、やはりこれは差別発言、ヘイトスピーチであり、しかしそうしたことについての規定なりルールなりがないと、「差別発言」「ヘイトスピーチ」だと認定しにくいんですね。こういう問題は今回だけではなく今後も起こりうると思うので、何

らかのルール作りが必要になってくると思います。

　また、先ほどすでに成原さんから全体の中のひとつとして指摘されていたことですが、この事件を考える際のポイントのひとつは、本来 AI の責任でないものについて AI に責任を帰属させるという問題だと思います。つまり大澤氏が差別発言をしたこと自体はもちろん問題なのですが、もうひとつ問題なのは、私はそれを「差別の否定」とか「差別の正当化」という言い方をするんですが、彼は「あれは差別ではない」ということをずっと言うんですね。「これは科学的な判断だから」「データに基づいているから」「統計的にそうだから」ということを繰り返すわけです。統計的差別に関してはこのあと堀田さんから詳しい話がありますが、こうしたレトリックがいかにずさんな議論であるかということは、差別の専門家の中では共有されています。しかし実際私が Twitter 上で見ていて思ったのは、彼がそういうことを言ったときに、それに対して反論しにくいというか、若干ひるむ雰囲気があったんですね。なので、この点に関しては今日改めてきちんと考えておきたい、それが私がここで指摘したいことの 1 点目です。

◆ 高輪ゲートウェイの「AI さくらさん」をめぐる問題

　2 点目は、さらに最近の事例になりますが、2020 年 3 月 14 日に山手線の品川駅の隣に高輪ゲートウェイという駅が開業した際に、そこのひとつのウリとして「AI さくらさん」が設置されました。これは乗換案内版システムで、「○○に行きたいのだけど、どの電車に乗ったらいいのか」というような質問に答えてくれるのですが、その受け答えが「ハラスメントを助長する」とネット上で批判されました。そこで実際になされた回答は、たとえば「彼氏はいるの」という問いに対して「恋人ですか？今はお仕事に集中したいので、考えてないです」というものだったり、「スリーサイズを教えて」という問いに対して「ごめんなさい、よく聞こえなかったことにしておきますね」というものだったりしました。こ

高輪ゲートウェイ駅の AI さくらさん（写真撮影：IMADR）

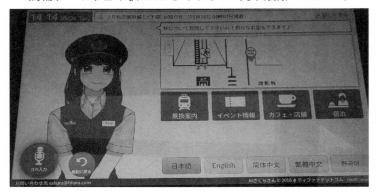

うした回答は、その後批判を受けて修正されるようになったそうですが。

　また、AI さくらさんのほかに男性バージョンの案内システムもあるのですが、その2つを並べると、そもそも AI さくらさんはアニメ、男性バージョンは実写で、しかも受け答えに関しても、さくらさんはプライベートの質問に対して変に配慮した回答をしていて、それに対して男性の方はごくそっけない答えをしていました。同じ場所に男性的な AI があることで、ジェンダーバイアスがより強く出る形になったと思います。

　さて、この事件についてはいろいろな反応があったのですが、ひとつここで取り上げておいた方がいいと思うのは「でも相手は AI でしょ。AI って差別とかハラスメントされても別に傷ついたりしないんじゃないの？」という反応についてです。もちろん AI そのものに関してはそのとおりです。では実際に何が問題なのかと言うと、こうしたやりとりが AI を通じてある種当たり前になることで、偏った女性のイメージが拡散されてしまうことです。少し難しい言葉を使えば「差別の煽動」ということになる。単に AI に向かって何かをする行為の問題ということではなく、それが社会全体にどのような影響を与えるのか、それがいかに差別やハラスメントを助長するのか、ここがやはり重要だと思います。

　最後に、成原さんも AI の定義の話をされていたので、私も少しだけ定義にかかわる話をしたいと思います。昨日 zoom のテストを兼ねて成

原さんを含めて打ち合わせをして、そこで「高輪ゲートウェイ事件についても触れるつもりです」という話をしたら、成原さんが「そもそもさくらさんって AI なんですかね？」と言ったんですね。つまり、先ほど成原さんが言っていたように、AI は学習して進化していくというところに重要な特徴のひとつがあるわけです。そう考えると、そもそも今回のさくらさんは単に「こういう質問が来たらこう答える」というプログラムが組まれているだけなわけで、はたしてそれは AI と言えるのか。言い換えれば、厳密には AI ではないものが AI のイメージを、とくに今回のケースで言うと良くないイメージを拡散する。それは AI にとっても良くないし、たとえば今回で言えばジェンダーの問題にとっても良くないのではないか。この点はここで問題提起をしておきたいと思います。

◆ AI による差別を 4 つに類型化する

　さて、AI による差別の事例にはほかにもいろいろあるわけですが、そうした事例を知る上で役に立つのが、アメリカのデータサイエンティストであるキャシー・オニールが書いた『あなたを支配し、社会を破壊する、AI・ビッグデータの罠』（インターシフト）といういう本です。今回のシンポジウムを行うにあたって事前準備のための読書会をやったのですが、その際に今前にいる登壇者 3 人（堀田・宮下・明戸）で読みました。この本についても昨日成原さんに「どうですか？　この本」と聞いて、「いろいろな事例が出ていてすごく興味深い本です」という返事が返ってきたのですが、実際いろいろな事例が出てくるけれどもそれについての理論的な整理があるわけではないので、読んでいると頭の中がごちゃっとしてくるところがあります。私自身そのままだとちょっと落ち着かなくて、自分なりに整理を試みたので、ここで少し紹介してみたいと思います。先ほど成原さんは AI 側から整理をされていましたが、私はどちらかというと差別の側から見ていったときにどういう問題が起きるのかという観点から整理しました。具体的には、(1) 直接的差別、(2)

間接的差別、（3）便宜上の判断基準の絶対化、（4）過去のデータによる選別、という4つです。

　まず（1）の直接的差別は、いわゆるわかりやすい差別です。そこで前提になるのは「評価」あるいは「選別」ということですが、学校だったり職場だったりビジネスの取引だったり、あるいは警察の取り締まりだったり、そうした場で「評価」や「選別」を行う際、人種や国籍、ジェンダー、性的指向、障がいなどの生得的要素を直接判断基準として用いること、これが「直接的差別」です。なおここでこうした要素を「生得的」という言い方でまとめることについては堀田さんは異論があるかもしれませんが、これについては必要なら後でコメントを付け足してもらえればと思います。次に（2）の間接的差別ですが、これは先ほど成原さんの方からも少し説明がありましたが、たとえば居住地などで評価や選別を行った結果、そこに人種などによる評価や選別が反映されてしまうというものです。日本の場合で考えても、被差別部落などはそういう特性がありますよね。また言語能力や身体能力など、それ自体は生得的な特性ではないけれど、そうした特性によって評価や選別を行った結果、それが国籍やジェンダーにかかわる差別に繋がってしまうことがあります。これも間接的差別の例ですね。さて、以上の（1）と（2）はハッキリとした差別なのですが、（3）便宜上の判断基準の絶対化というのは、別にこれ自体は差別ではありません。なので「便宜上の判断基準の絶対化」ととりあえず書いたのですが、そこで念頭に置いていたのはIQです。IQに限らず、たとえば大学を偏差値で判断するとか、採用のときに候補者を出身大学で判断するとかも全部このカテゴリーですが、しかし差別と一番関連するのはやはりIQです。

　たとえば『ベルカーブ』という本があって、これはアメリカの心理学者リチャード・ハーンスタインと政治学者のチャールズ・マレーによって1994年に出されたものですが、そこではIQが黒人や白人、あるいはアジア系でそれぞれどういうふうに違うのかということが、かなり差別的に論じられています。もちろんこれは人種による差別、つまり（1）に当

たることも問題なのですが、そもそも IQ という単一的な基準で人を序列化することが倫理的にどうなのかというところも考えなくてはいけません。それを直接的差別の問題とするか、それとも関連する周辺の問題にするのか、この点については議論が分かれるところかもしれませんが。

　いずれにしても、おそらくこの（1）から（3）までは AI の登場によって初めて出てくる問題ではなく、むしろそれ以前からさんざん議論されてきたことが、あらためて AI で繰り返される。これも先ほど成原さんからご指摘があったとおりです。

　そうした中で、最後の（4）過去のデータによる選別が一番 AI 的なものだと思います。そこでは先ほど触れた生得的な属性については直接使われないのですが、たとえば過去に借金をしたとか、クレジットカードの支払いが遅延したとか、そうしたことが蓄積されていって、その結果「この人はリスクがあるからクレジットカードを発行しない」という判断がされる、そういうパターンです。これもそれ自体は「差別」ではないかもしれませんが、そこで「リスク」とみなされるような行動が文化的・環境的な要因で決まってしまう場合には、やはり差別の問題にかかわってきます。たとえば、「借金はなるべくしないほうがよい」みたいなエートスを学習できるかどうかというのは、必ずしも本人の責任ではなかったりしますよね。だとすると、こうしたこともやはり AI と差別を考える際の重要な論点のひとつになってくると思います。

◆ AI をどうデザインするか

　最後に、成原さんも共著者として書かれている『人工知能と人間・社会』（勁草書房）を紹介したいと思います。「AI ネットワーク社会におけるアーキテクチャと法のデザイン」というのが成原さんの執筆部分なのですが、これを今回のコメントの準備のために読んでいて、「デザイン」というのがやはりひとつのキーワードになるということをあらためて感じました。

冒頭でもお話ししたようにこの半年ぐらい AI と差別について考える機会が増え、授業でもこのテーマを扱ったりしたのですが、そこでよく出てくる反応に、「やっぱり AI って万能じゃないよね」というものがけっこうありました。これは AI 特有の議論というよりは、機械や科学に対する一般的な懐疑を、AI にも適用してみたという感じなんだと思います。もちろんそれ自体は一つのスタンスだとは思うのですが、でもそれで単に「やっぱり科学に任せられないよね」「大事なところは人間が判断しないとね」というだけではおそらくダメだと思うんです。

　そこでキーワードになるのが「デザイン」という言葉だと思うのですが、先ほど成原さんから開発と利用の両方のところで AI のあり方を考えていくというお話がありましたが、特に開発のところでどういうことを考えていくのか。先ほどの AI さくらさんをもう一度取り上げると、あれが問題になったのは、むしろ本来であれば差別をなくすような方向に持っていかなくてはいけないはずの AI のデザインを、逆にバイアスを強めるほうに使ってしまったからだと思うんです。「これぐらいのこと別にいいじゃないか」というような反応もたくさんありましたが、本来やるべきことは逆であるはずなのに、という視点を持たなくてはならないのではないか。こうしたことを、この本を読んですごく思いました。

　そしてこれはネット上などで、ヘイトスピーチをアーキテクチャによってどう防ぐか、言い換えれば差別を設計を通してなくしていくにはどうしたらいいのか、という課題とも重なってくると思います。もっとも、AI は人間に対するアーキテクチャ以上に設計が直接反映されますから、その重要性はより大きいということになるとも思いますが。

　最後に、成原さんはそこで法学者として「メタデザイン」という形で法を位置付けているのですが、やはりアーキテクチャだけでは限界があるという点も間違いないので、その点を法でどう補うかという議論をされているところにも共感しました。このあと時間があるかわからないのですが、もし何か補うべきところがあればその点についても少しコメントをいただければと思います。ということで私の方からは以上です。

統計的差別について

堀田 義太郎 　東京理科大学講師

◆ はじめに

　はじめまして、堀田義太郎と申します。よろしくお願いします。私は東京理科大学という理系の大学で哲学を担当していまして、この7年ぐらい、差別に対する哲学理論を研究しています。この研究会は明戸さんの方からご紹介がありましたが事前の準備段階から参加させていただいています。今日はコメンテータという形ですが、私の方からは、AIに直接関連するかというと、ちょっと間接的かもしれませんが、統計的差別に関する近年の議論を簡単にまとめて、どういう問題点があるのかというのを紹介する形で進めさせていただきたいと思います。

　まずなぜ統計的差別を取り上げるかと言いますと、AIと情報処理の典型的なものだと思われるからです。

　例を2つ挙げてみましょう。1つ目は、より貧困な人々は都市の中心部に住んでいないことが多く（これはアメリカでは逆なのかもしれませんが）、他の労働者よりも出勤に交通機関を多く使わなければならないので、公共交通機関の混雑等により遅刻する回数が増えてしまうとしましょう。そして、その統計データを用いて会社は労働者評価をする、という例です。

　2つ目は、成原さんのパワーポイントにもあった、「再犯率の問題」

です。具体的には、統計処理に基づき、人種、性別その他の情報と、再犯率との間に相関関係があるという結果が出るということです。2年ほど前にNHKで放映された番組で実際の事例を紹介していたのですが、アフリカ系アメリカ人への仮釈放までの年数が長くなっているか、仮釈放が認められる人の数が著しく減るという事態が起こっており、これはコンピュータによる計算結果に一部基づいているという話があります。

　これらはいずれにしても統計を使っているのですが、統計的差別の問題を考えるにあたって重要な点は、まず統計的な一般化に基づいて人々を区別して、一方に不利益を与えることはある種不可避的なものだということです。

　例としては、

・未成年者の飲酒・喫煙を禁ずる。
・旅客機パイロットの定年を55〜60歳とする。
・若者の事故率が高いという理由で、自動車の任意保険料を上げる。

などいろいろあるわけですが、統計的な一般化に基づいて人々を区別し、一方に不利益を与えることをすべて止めるべきだとは言えないということです。ではどういうものが問題になるのか。そういう問いがこの統計的差別の問題として論じられています。ここではまず①統計的差別とは何か、を論じた上で②統計的差別はいつ悪くなるのか、についてお話したいと思います。

◆ 統計的差別とは何か

　一つ目の「統計的差別とは何か」ということですが、まずは直観的な定義を挙げた上で、問題点として細かい話を紹介していきたいと思います。
　まず直観的な定義として「ある属性を持つ集団が他の集団に比べて悪

く扱われる。この扱いは、当の属性（性別や人種）を持つ集団が、統計的に重要な何らかの関連性のある特徴を持っていると思われていることを理由としている」というものを挙げることができるでしょう。もちろんこの定義に至るのにもさまざまな考察が必要なのですが、それは今回省略させていただきます。ただ、これには問題があることが見てとれます。

　というのも、少し広すぎるからです。実際、ほとんどの差別が明示的ではないにしても、広い意味での統計的一般化をしているのではないかという疑問が生じます。そうすると統計的差別と呼べるものの基準はもう少し明確にした方が良いということになります。ほとんどの差別というものは、何らかの一般化に基づいていると考えられるからです。

　あからさまな敵意や嫌悪感に基づく差別は広い意味でも統計的な一般化に基づいていないと思われるかもしれません。しかしよく考えると、それらについても広い意味での統計的な信念、すなわち一般化が背景になっているのではないかと言えます。たとえば「女性は○○だ」とか「黒人は□□だ」という信念はステレオタイプと呼ばれたりしますが、人々をひとくくりにして、その人々が持つ何らかの傾向や属性に関する一般化に基づいています。

　そうすると、統計的差別と非統計的差別をもっと厳密に区別した方がいいのではないかということで、2人の議論を簡単に紹介します。

　まず、リッパート＝ラスムッセンという哲学者がいます。彼は「人々を区別して一方に不利益を与える判断の根拠について、統計的な一般化が①背景（background）になっている場合と、統計が②前景（foreground）に出ている場合を区別し、①背景となっている場合は統計的差別と呼ばない、根拠の②前景に統計が出ている場合は統計的差別だ」という区別をしています（Lippert-Rasmussen,2013：84-5）。

　①背景の例は先ほどの話と同様ですが、たとえば求職者が採用試験の面接などで育児休暇を取る可能性があると答えたとします。もちろん、面接でこのようなことを問うこと自体が今は違法ですから、こういう状

況はあり得ないかもしれませんが、仮にこのような状況があったとします。リッパート＝ラスムッセンは「この事実により雇用者は、この求職者が将来育児休暇を取るだろうという信念を形成する。この場合でも雇用者の信念形成は、統計的一般化と完全に独立しているわけではない」と指摘しています。これはその通りだと思います。すなわち、未来の行動予測は何らかの一般化に基づいており、この回答や未来に対する確実性について、ジェンダー差が考慮されたりするからです。ただこの一般化は①背景にあるので、統計的差別ではない。これに対して、たとえば「雇用者が同じ信念を、女性の大多数が育児休暇を取ることを示唆する統計的証拠に基づいて形成し、特定の求職者がそうする意図があるかどうかは、この雇用者の信念形成にとって因果的役割を果たしていない」という場合は、統計が②前景に出ています。

　もう1人プロファイリングに関して著作があるフレデリック・シャウアーという人がいるのですが、彼の議論を簡単に紹介すると、彼は統計的差別を次のように言っています。

　　人々を区別して扱う、それ自体正当と思われる（presumably legitimate）。または許容可能な目的がある。この目的に重要な関連性を持つ特徴がある。この特徴と統計的に相関しているものとして、ある集団的な属性が区別の根拠として用いられる。(Schauer 2017)

　この例としては

・旅客機パイロットのスキルにとって、反射神経や視力は重要な関連性がある。年齢はこれらの能力に統計的に相関している。年齢に基づいて、55歳で定年制を敷く。

というものがあります。非統計的差別の例としては、

・ミソジニスト（女性嫌悪主義者）の雇用者が、男女の役割は違うという偏見、または女性とともに働きたくないという敵意に基づいて、女性を雇用しない。

というものです。リッパート＝ラスムッセンとフレデリック・シャウアーの議論はちょっと違います。実は先ほど明戸さんの間接的差別と直接的差別の話に絡んでくる細かい話があるのですが、今回は省略します。

　リッパート＝ラスムッセンとシャウアーの定義は違いますが、今回の「AIと差別」に関連する統計的差別は、以下のような統計だけに基づくケースに限定できると思います。

ケース：人々を区別するためにある方針を採用する。このとき、特定の集団に対する不均衡な不利益があることを事前に知らず、その集団に対するいかなる信念も偏見も持っていない。目的に関連性を持つ情報に基づく統計的証拠に従って特定の方針を採用し、その結果、特定の集団への不利益が生じる。

　なぜかというと、①「正当な目的」がないケースはそもそも問題にならないこと、もうひとつは今回のテーマの② AI にとっては、事前に特定の集団への偏見ななどが非統計的に形成されていることは考えにくいからです。ディープラーニングなどで一種の傾向が形成されている場合はもちろんありますが、そのような場合でもその傾向は統計的に形成されています。また、個人情報に基づく判断をわざわざ AI に任せる必要はないと思います。そのため、今回は上記のような統計だけに基づくケースだけに限定できるのではないかと思います。

　AI には偏見も敵意も帰属できません。少なくとも通常はそのような意図があるとは思えませんので、統計だけに基づいて何らかの結果を出

力する。そうすると問題は、「正当と思われる目的があり、その目的を達成するための不可欠な手段として人々の間に区別を付ける必要がある。この区別の方法または基準として、重要な関連性のある情報に基づく統計を取り、その結果、特定の集団に不利益を与えるとして、何か問題があるとしたら何なのか」ということになります。以上が①統計的差別とは何かという問題についての議論です。

◆ 統計的差別はいつ悪くなるのか

次に、②統計的差別はいつ悪くなるのかというところですが、まず前置きとして、統計的差別を広義の概念として、つまり「統計に基づいて一般化し、特定の集団に不利益を与えること」と理解した場合、統計的差別そのものに道徳的な問題があるということは難しいのではないかと思われるわけです（Lipperrt-Rasmussen 2007/2013）。

統計に基づいて一般化し、特定の集団に不利益を与えることそれ自体を不当・悪質（wrong）だと言うとすると、非常に多くの行為が不当だということになりますが、それには説得力がないからです。下記のようなケースを挙げるとわかりやすいかと思います。

1) 18歳以下に運転免許を与えない。未成年者の飲酒や喫煙を禁止する。
2) プレミアリーグで、警備員が統計情報に基づき、高齢の女性ではなく若い男性を、とくにフーリガン化しやすいと見なしてマークする。
3) 暴力的犯罪の多くが男性によるものである。暴力犯罪があった。男性を対象として捜査する。
4) 痴漢犯罪のほとんどが男性による女性に対するものである。女性専用車両を設ける。
5) 白人男性ドライバーの飲酒運転が多い。白人男性ドライバーを重点的に検問の対象にする。

6) 旅客機パイロットの定年を 55 〜 60 歳とする。年齢が反射神経、視
   力等の代理指標にされる。

これらがすべて同じ悪質さを持っており、すべてがダメだという立場
は、それはそれとしてはあり得るとは思いますが、説得力がないと思わ
れます。また、差別という概念を理解する上で繊細さを欠くとも思われ
ます。すると、何らかの統計を用いて特定の人々に不利益を与えるとい
うことの中で、さらに線引きをする必要があると思われます。
　上記に挙げた事例と異なり、育児休暇取得に基づく女性差別や黒人に
対する犯罪プロファイリングに関してはやはり問題があると思われま
す。では、何がこれらの違いを作り出しているのでしょうか。以下大き
く 7 つほどに分けて整理していみたいと思います。

(1) 統計的証拠がそもそも疑わしい。元になるデータ取得のプロセスの
　 疑わしさ、処理の疑わしさ。（不正確さ）

これは AI にはあまり考えられません。

(2) 統計的証拠の不平等な使用。ある方針や処遇の基盤となる統計的証
　 拠の取捨選択にバイアスがある。（濫用）
(3) 統計そのものは正確で、バイアスなく使用されている。しかし意思
　 決定や処遇にとって、別のより適切な統計情報が入手可能である場合
　 がある。（統計の対象となる情報の不十分性）

(1) から (3) までは技術的な問題と言っていいかもしれません。

(4) ある判断や処遇の根拠として、統計以外によりよい方法がある。（手
　 段としての統計の不適切性)

これは例を挙げておきますと、自殺攻撃を防止するためには、統計に基づく監視と予防のための取り締まりではなく、テロリストがリクルートされるコミュニティとの関係性を良好にするとか、信頼構築が優先されるべきだ（Lippert-Rasmussen 2007）といった話です。

　（1）から（4）は統計という手段が適切に用いられているかどうかという話なのですが、（5）以下は結果の話です。

（5）周辺化された人々への統計的差別は、劣った人々というメッセージを出す。（表現的害・広義の害）

　たとえば人種に基づく犯罪プロファイリングが、アフリカ系アメリカ人へのスティグマ、害、さらなる差別の正当化等々の負の効果や害を社会的に持つというものです。他方、白人ドライバーの飲酒運転が多い州もあるそうですが、その統計に基づいて白人ドライバーに対する検問があるとして、既存の社会的偏見がないので、その人々を「劣った人々」とみなすような効果は薄い（Eidelson 2015: 208-9）。そういう比較ができるというものです。

（6）統計情報の基礎となる人々の選択や行動、統計が適用される状況そのものが、それ自体、不当な差別に基づいている。または差別的状況が、人々の選択の原因となって、選択に影響を与えている。

　育児休業取得率などは、まさにこれだと思います。

（7）差別が原因となった行動に基づく統計を用いることが、当該の差別を強化または永続化する。または差別的ヒエラルキーの再生産に因果的に貢献する（差別→行動→統計→差別の強化という悪循環または「予言の自己成就（self-fulfilling prophecy）」（Lippert-Rasmussen 2007: 400））。

これは育児休暇などに基づく統計的差別と、性別役割分業に基づく性差別の悪循環（野崎綾子 2003）がかねてから指摘されてきたことですが、こういったことがやはり問題となっています。

　先ほど述べた通り（1）から（4）はプロセスの問題で、（5）から（7）は結果の問題ですが、（6）と（7）に関しては、統計の対象となる人々の行動選択の背景も含んでおり、少し特殊です。

　簡単なコメントを述べて終わりたいのですが、（1）や（2）で正確な情報ではなくバイアスのかかった使い方をするのは論外だと思われます。私見では（5）から（7）が重要だと思われます。（5）から（7）は特定の文脈、歴史的社会的な文脈の中で、特定の被差別集団、先ほど劣位化された集団と言いましたが、それが存在しているということが前提になっているということです。

　そうなると、（1）から（4）のプロセスに対する精査の必要性や厳格さも、その目的および可能的に予測される結果に基づいて変わってくるということになります。（5）から（7）は予見される結果に基づいて、そもそも統計を使っていいのかどうかということが問題になります。

　もちろんこの人種・宗教・国籍をプロファイリングの対象となる情報から外せばいいのかというと、それは単純すぎるかもしれませんが、実際アメリカでは空港での自動的な検査ふるい分けシステムについてホワイトハウスは、このプログラムでプロファイルする際の情報として、人種、宗教、国籍の使用を禁止していたそうです。ただし、今はどうかはわかりません。

◆ おわりに

　最後に簡単な話をしますが、結局のところ差別とは何かという話になります。統計的であるか否かは独立した話で公平性の話もそうですが、それについては個々の行為としてではなく、類似する諸行為の集合・シ

リーズとして、他の諸行為との意味的または因果的な関係の中で考える必要があるのではないかと思います。たとえば既存の差別的な関係（抑圧またはヒエラルキー）の固定化・強化に資する、または正当化する場合、統計はその方針や行為を許容する理由にはならない、と私は考えています。

　以上、統計的差別についての議論の概略的な紹介ということで、コメントとして不十分ではありますが、これで終わらせていただきます。

第Ⅱ部
オンラインシンポジウム
「AI と差別」

パネルディスカッション

パネリスト

成原 慧

×

明戸 隆浩

×

堀田 義太郎

司会：宮下 萌

反差別をどうデザインするか?

宮下 さっそくパネルディスカッションに移ります。まずは明戸さんと堀田さんからコメントをいただいたということで、それを踏まえて成原さんの感想をうかがいます。個人的には明戸さんのコメントの最後の「反差別をどうデザインするか」というこの点について成原さんのご感想と、それ以外ももちろんですがご感想をいくつかいただきたいです。

成原 それぞれ重要な論点を提起していただいて、感謝しております。宮下さんがおっしゃった「差別の防止をいかにデザインするか」というところは国際的にも議論になっているところでして、先ほどご紹介した公平配慮型データマイニングをはじめ、そもそも AI のデザインの段階で差別を防止する取り組みというのが、重要になってきています。

先ほど紹介した AI に関する倫理や指針の中でも、そうした差別の防止だとか、プライバシーの保護をあらかじめ設計段階で取り組むことが求められるようになっています。

他方、AI のデザインにも限界がありまして、それはデータの学習によって変化していくことに伴う限界ですけれども、いくら設計者が差別をしないようにデザインしたとしても、学習するデータによっては影響を受けて、結果として差別を行ってしまうおそれがある可能性は否定できないと思います。もちろんできるだけ差別が生じにくいように設計段階で配慮していくことは必要になると思うのですが、他方でその限界も意識して、開発者だけではなく、利用者の側も差別につながるようなデータの学習をさせないといった配慮が必要になってくるかと思います。開発者と利用者の役割分担と言うか、責任分担も重要になってくるのではないかと思います。

また、デザインによる差別の防止にも限界がありますので、具体的な差別の問題が出てきた場合には、法によって事後的に対処していくといった、権利侵害の救済を図っていくことも必要になっていくと思います。

ひとつ具体的な例を挙げます。たとえば差別用語やヘイトスピーチが行われないよう、そのような言葉が表示されないようにデザインをすることは技術的には可能です。古典的なプログラムで言うと、少数民族やLGBT に対する差別用語が表示されないようにするというのは比較的やりやすいと思います。しかしそうすると、明戸さんはじめ社会学者の方がいろいろ指摘されてきたことだと思いますが、他方では、マイノリティが逆手にとって差別用語を自分たちのアイデンティティとして構成したり、マジョリティに対抗していくための手段として使うこともあるわけですよね。そのような場合にどうすれば良いのかという問題が生じます。

　これは私がたまたま先日に『wezzy』というウェブマガジンの取材を受けた際に、関連した質問を受けたのですが、Google のような検索エンジンでウェブサイトが特定した用語を使うと検索に表示されにくくなるという説があるようです。仮にそういった問題があるとすれば、考えられるひとつの理由としては、そのような言葉は差別的な文脈で用いられるおそれがあるので、差別を防止するために検索結果には表示しないということが考えられます。しかし、差別を批判する文脈でこうした言葉を使った場合でも表示されにくくなるのだとすれば、これは表現の自由の観点から問題があるだけではなくて、平等の実現という観点からもかえって副作用が出てしまうという評価もできるわけです。

　そういう意味から考えると、機械的に差別用語を表示できなくなるようにする仕方には、問題があるのではないかと思います。同じ用語でも文脈によって意味は変わってくるので、文脈を見ていく必要があると思います。

　AI を使うことによってそうした文脈も考慮されるようになってくると期待されていますが、やはり AI の判断にも限界がありますので、誤った判断をしてしまう場合もある。そうした場合は人間の手によって是正していくということも必要になっていくと思います。

明戸　今日のテーマのど真ん中ではないですけれど、ネット上のヘイト

に対して、ある種自動化された形でどう対応するかということは、直近の問題になっていると思っています。今成原さんがおっしゃった「言葉ではなく文脈で」というのは全く同意なのですが、現状はむしろ逆になっていて、たとえば Twitter では、「ヘイトスピーチでこういうものがあった」という報告があれば、文脈に関係なく単語レベルで判断されて、アカウントは停止されてしまう。このことを悪用して、「これは違法ツイートだ」と報告するアカウントも一定数あると思われます。言葉を基準にすること自体はある程度やむをえないとしても、単純にそれだけでやっていくと本来の意図とは違う形で動いてしまう。

　本筋ではないのですが、文脈を含めた形でどう判断していくかというのは、とても重要なテーマだと思います。

成原　そうですね。

宮下　ありがとうございます。それでは堀田さんのコメントに関する感想をおうかがいします。堀田さんが話されている統計的差別というものと、AI プロファイリングによる差別の違いというか、AI による差別の特徴というのはどこにあるのかというのが個人的な関心です。そのあたりを踏まえてコメントいただければと思います。

AI による差別の特徴とは？

成原　ありがとうございます。統計的差別という、この問題を考える上での重要な概念をわかりやすく説明してくださった上で、統計的差別というのは避けられない面があるので、いかなる場合に統計的差別が許されて、いかなる場合が許されないのかということを場合分けして考えていく必要があるという、重要なご指摘があったかと思います。それでいくつかの類型を示してくださったのですが、堀田さんのまとめてくださった整理ですと、既存の差別的な関係を固定したり強化したり、あるいは正当化につながる場合には統計的差別は許されないのではないかというまとめ方をしてくださったと思います。このあたりは私も基本的に

同意です。ただ他方で、何が既存の差別的な関係なのかがおそらく問われてくる。これは AI の開発者が技術的に判断できる問題ではなくて、社会的に何が既存の差別的な関係なのかをアイデンティファイしていく必要がある。それはどのようにしていけばいいとお考えでしょうか。

堀田 そうですね、それ自体は差別の哲学論、社会学もそうですが課題そのものだと思うのですけど、行為集合、行為のセットとして考えます。同じ特徴による不利益処遇というものが複数の場面で多数存在しています。そこで、多数とは何かについて歴史をさかのぼるといろいろ出てくるのですが、そういった曖昧さを残した感じで言わざるを得ないのかなと思います。

成原 歴史的に迫害されることがわかった、マイノリティに対する差別というものが基本的には念頭に置かれるということでしょうか？

堀田 そうですね。

明戸 堀田さんの差別の定義については、歴史的な過去の蓄積によって、被差別というか、劣位に置かれるという点にポイントがあるということをここ数年の議論でずっとうかがっているのですが、今回それを AI の文脈で考えたときに、むしろそれは AI と相性が悪くないということに気づきました。つまり、過去の不利益の蓄積ということをきちんと学習させること、たとえば「こうした場合にはこの集団に不利益を与えられる。しかもそれは歴史的な不利益にさらに上乗せする形でなされる」というふうに AI に学習させることは難しくないような気がするのですが、いかがですか？

成原 法学における差別の議論では、とくにアメリカの憲法判例などを私なりに見てみると、やはりアメリカだと黒人のような、歴史的に差別されてきた集団に対する保護というのが問題意識として強いように思います。差別や平等というものを抽象的に考えるのだけではなく、歴史的にいかなる集団が差別されてきたのかという文脈を考慮する必要があると思います。他方で、最近の AI 関係での研究における公平性の議論とそことは少し距離がある印象があります。それはどういうことかという

と、AI における公平性でよくあるのが、人間を集団の属性の束として見ているからいけないのだという議論です。とくに公平配慮型のデータマイニングの話でもありましたが、黒人や女性など差別につながるファクターや、差別につながる居住地などのファクターは見ないようにしようとすることによって、公平性が実現できるという考え方のモデルがひとつあります。もちろんひとつのモデルに過ぎないのですが、有力なモデルのひとつと言えます。仮にそういうモデルを純化していくと、たとえば黒人は歴史的に差別されたので、黒人に対する差別には特別な配慮が必要だという判断ができなくなってしまうおそれがあるわけです。したがって、むしろ逆説的かもしれませんが、人種に関するデータは見た方が良い場合もあるかもしれません。これは1種のアファーマティブアクションの考え方とつながってくるところもあるかもしれません。AI が判断をする際にも、むしろ人種的なマイノリティにはある種の優遇をした方がいい場面もあるのではないかというのが、ひとつの考え方としてあります。単に差別につながるファクターを排除すれば良いという単純な問題ではないということが、堀田さんの話から見えてきました。

堀田　今の成原さんのお話と関連するように思えることで、「見ない」というのは、部落差別の文脈では「寝た子を起こすな」理論があります。子どもに教えなければ子どもはまっさらな状態で偏見がないので、教えない方がいいのではないかという議論ですが、事実上それは不可能です。その議論は批判されましたし、私も批判の方が妥当だと思っていますが、AI がどういうところでどういう情報を得ていくかに興味があります。先ほどの Tay のヒットラーの話がそうですが、ある種の相関する情報はさまざまな形で総合されて、我々が言うところの差別的な信念を形成していく流れなのではないかと思うので、結構似ている話だと思って、今聞いていました。

個人のセグメント化について

宮下　少しテーマが変わるのですが、先ほどの成原さんの議論で個人の
セグメント化というところが出たと思うのですが、先ほど明戸さんが紹
介してくださったキャシー・オニールの『あなたを支配し、社会を破壊
する、AI・ビッグデータの罠』の中で、「種族」という言葉が出てきて
気になりました。つまり、セグメント化ということで属性 A プラス B
プラス C とセグメント化されているものと、種族が生成されることの
関係性が、個人的に気になったのですが、いかがでしょうか。

　先ほどの明戸さんのコメントの中で言うと、行動パターンを把握する
ことで、いわゆる属性ではない形で、たとえば借金をしても返さないの
で「信用ならない人たち」というのが形成されて固定化されていく。そ
れはもちろん人種的にもデータ的にもいろいろなものがあると思うので
すけれど、過去の行動パターンで固定化されて、二度とそこから這い上
がれないという話です。

成原　そういう意味では私が先ほど紹介した、セグメント化の議論とお
およそ共通しているのではないかと思います。問題はいずれにせよ過去
に自分が行った行動によって、それが AI の判断の基礎となって変え難
くなるということです。他方で、自分の行動は変容していくこともでき
るわけですよね。生まれ持って身についている性質で変えることができ
ないものと、自分の行動によってそのような環境に置かれて変えられな
いものは、区別すべきなのか、それとも連続しているのかはひとつの論
点になると思います。これは似たような議論で言えば、前近代の身分に
基づく差別と、近代のセグメントとか種族における差別は本当に同一視
できるのかという論点もあるかと思います。確かに共通するところはあ
るけれど、もう少し違うところもあるのではないかと思います。やはり
現代の AI に基づくセグメント化の方が、より動態的で可変的な面は間
違いなくあるのではないかと感じています。ただ動態的で可変的な面は
ありつつも、事実上本人の意志で人生をやり直すのが困難な側面も出て

きている。その両面をどのように評価するかという、そういう問題があるのではないかと思います。

明戸　これはむしろ差別論側の問題でもありますね。つまり、差別論や差別研究はどうしても古典的な属性に基づくものを中心に据えてきたところがあって、それ以外の本人の行動パターンによって決まるものを射程に入れるか入れないかと言ったら、やはり入れるのはあまりうまくないところがあったと思うんですよね。ただ、AIの側から、ビックデータ以降の文脈として問題を見ていったときに、本来だったら今までバラバラで把握されなかったことが一貫して紐付けされて全て把握され、それが結果としてセグメント化なり種族化という形で固定され、自分の行動が制約されていく。それは差別かどうかという問題もありますが、不当かどうかで見たら、おそらくかなりの不当性があるというふうに考えなくてはいけないと思います。

堀田　今のセグメント化ですが、歴史的、社会的文脈を重視する議論で抜け落ちるのは遺伝子差別と言われるものですね。新型コロナウィルスについて「病気は平等だ」みたいな話もありますけれど、身分や性別は関係なく、ある種の遺伝子を持っている人は民間保険会社の保険料が高くなる。あれは歴史的、社会的という条件を付けると差別ではないです。それは我々の言葉の使い方が間違っていて、差別ではないからといって不公平であり正義ではないという話ですから、そこは概念の問題なのかなと思います。

宮下　最後にお一人ずつ、AIによる差別を防止するためには何が必要かということを簡単に触れていただいた後で、質問がいくつか出ているのでお答えいただければと思います。ではまず成原さんから、今思ってらっしゃることを端的に教えていただければと思います。

┃ AIにおいて配慮されるべき公平性とは何か

成原　先ほど述べたものの繰り返しになってしまう面も大きいかと思い

ますが、まず私たちが「何が許されない差別なのか」のコンセンサスを形成していくことが必要なのではないかと思います。技術的に AI が差別をしないデザインをするための議論ももちろん大切なのですが、それは手段であって、そもそもの目的である差別を防止するという見地からは、いかなる差別を許されないものとするのかという議論をしていく必要があるかと思います。もちろん差別という概念自体に、許されないという規範的な含意を込めることもできますが。先程の堀田さんの議論のように、統計的差別と言われるものの中でも、正当化されるものとされないものを分けるということができれば、いかなる場合に許されて、いかなる場合に許されないのかの、区分けの議論をしていく必要があると思います。

　幸いにして法学、とくに憲法学の議論における対国家との関係では、いかなる場合に差別が許されないのか、平等とはどのようなものかについては一定の議論の蓄積がありますし、労働法など、分野ごとに差別や平等に関する一定の議論の蓄積はあるわけです。しかし分野を超えて、あるいは公権力を超えて、私人、一般を含めた広い意味の中で何が許されない差別なのか、あるいは平等とはいかなるものかというのは法学においても議論は成熟していないですし、市民社会においても必ずしもコンセンサスが得られていない部分があると思います。

　これは日本で言えば、ヘイトスピーチを規制するべきかという論点とも関わってくるところがあるかと思います。私の報告の最後でも述べたように、そもそも平等とは何なのか、差別は何なのかということを問い直していく必要があると思います。このことと関係して注意すべきことは、最近は先ほど紹介した AI に関する倫理原則や指針では、平等とか差別という概念を公平性という概念を使って表わすことが好まれている。そういう点に注目する必要があるのかなと思います。

　法学においては、平等とか差別という概念が使われることが多かったのですけれど、あえて平等という概念に替えて公平性という概念を使うことには、やはり従来における法学の平等の議論とは関連しつつも別の

意味合いを込めて使っているところがあるのではないか、と問題意識も踏まえた上で公平性の意味について議論していく必要があると思います。その上でどうしたら公平性が実現するのかについての議論をしていく必要があるのではないかと思います。その際には開発者と利用者の責任分担だとか、あるいは法とアーキテクチャの役割分担を多面的に検討していく必要があるのではないかと思います。

　ただ他方で、議論をしている間も、現実では差別の被害に遭っている人がいます。そういう人を救っていかなくてはいけないので、目の前の要請にも応えていく必要があると思います。これは AI 以前からよく言われていることですが、何が正義なのか、何が平等なのかということはコンセンサスを得るための議論には時間がかかりますが、「これは許されない不正義だ」「許されない差別だ」ということへのおおよそのコンセンサスは得やすいのではないかと思います。したがって、公平性とは何かとか、許されない差別とは何かということを議論していくとともに、目の前の「これは明らかに許されない差別だよね」、あるいは「これは公平性の見地から問題だよね」という事案に対して対処をしていく。そうする中で、事例を積み重ね、AI において配慮されるべき公平性についてのルールを模索していくというのも、もうひとつのルールとして考えられるのではないかと思います。

▌ 専門家間の繋がりを

明戸　重要なポイントをすべて成原さんに網羅していただいたので、もう少し実践的な観点から少し補足します。このシンポジウムを企画しながら考えたことでもあるのですが、反差別のデザインを実装するといった場合に、実際に AI をプログラムしたり動かしてたりしている現場の人と、堀田さんのような差別論の専門家は、なかなか繋がらないところがあると思います。成原さんはそこをつなぐ立場にいらっしゃると思うのですが、そこで下手に社会学者が出ていったりすると、現場の人には

「またなんか外から偉そうなことを言ってきている」というふうに見えてしまう（苦笑）。「デザイン」という言い方がすごく気に入ったのは、現場を変えていかないといけないときに、外から口を出す側も現場の仕組みをある程度理解する必要があるという含意があると思ったからです。もちろん全部を理解する必要はないけれど、AIについて「おおよそこういう感じである」と理解していれば、「ここにこういう仕組みを入れておけばいいのではないか」という提案ができたりする。そういう形でうまく協働して、一緒に良くしていくことが重要なんじゃないのかなというのを思いました。

　もちろん最終的には技術的なところに落としていくとしても、いわゆる「文系 VS. 理系」みたいな構図になるのではなくて、両方をうまくかみ合わせた形でやっていくということを私は目指したいし、そういうやり方がもっと広まっていくと良いと思います。

我々は AI をどう使うべきか

堀田　私もほとんど何も言うことがないのですけど、AIによる差別を防止するという宮下さんの言い方ですが、AIというものが差別をしないように作るのか、もしくはAIというものは差別をするものだけれど、我々がそうしないように使うにはどうすればいいかということの2つあると思うのです。私は前者は不可能だと思っていて、AIは我々が良くないと思っている差別をするだろう、それを最初から技術的に防止するのはできないのではないかと思っています。結局使う側がどうするかということで、成原さんや明戸さんがおっしゃっていた話に戻っていくのではないかという印象を受けました。

質疑応答

宮下　参加者からの質問に移ります。まず成原さんに、「AI ならではの

生じる差別問題はありますか？」という質問がきているので、お願いします。

成原　私の理解ですと、すでに世の中にある差別を AI が再生産したり反復したり増幅したりというのが実情に近いと思いますので、AI ならではの差別というのは難しいと思います。しかし、ひとつあるとするなら、もともと人間が行ってきた差別を、システムによって構造的に増幅する、それが AI ならではの差別ではないかと思います。一次的な差別を二次的に再生産していく。これは人間と人間との関係でも似たようなことがあり得て、前の世代が行ってきた差別を反復してしまうことは人間同士の関係でもあり得たのですが、それをシステムのレベルで機械的に反復して再生産していくというのは、AI ならではの差別の問題だと思います。よく言われるように AI は不透明性を伴っていることが多いので、どのような要因によって差別的な判断を行うようになったかということがわかりにくいということにも繋がってくるのかなと思います。差別の仕方、差別が生み出されるメカニズムの問題として、AI ならではというものは見出されるのではないかと思います。

宮下　続いて質問をいただいています。「Twitter を見ていると韓国人差別を国旗を使って表現し、言葉だけだと一見引っかからなさそうな表記をしているものもあるのですが、そういったものを AI が差別と判別することは可能なのでしょうか？」という質問です。

成原　これも難しい問題で、AI がどのように差別を防止するか以前に、何が許されない差別かについて決めないとならないというのと似たような問題があって、そもそも許されないヘイトスピーチはどういうものなのかということを法律なり、プラットフォーム事業者の利用規約を自主規制として決めて、その自主規制の規約に則って、AI がどのように判断することができるのか、そういう議論をしていくことが本来の検討の順番です。AI がヘイトと判断できるのかというのは、その議論を抜きにしては何とも言い難いところがあると思います。

明戸　国旗を侮辱するとか焼くみたいな写真があったときに、それをヘ

イトと判定できるのかどうかみたいなことなのかなと、私は解釈しました。AIは画像の判定自体はできるじゃないですか。それがどこの国旗かみたいなことは判定できるのだけど、それに対してマイナスの行為かどうかを判定するのは極めて難しいですね。

宮下　では、別の質問です。「法学部の学生です。公平性と平等の違いについてもう少し説明をしていただけますか？　法学で公平性を議論されてきたのは、どのような分野がありますか？」という大事な質問が来ました。いかがでしょうか。

成原　先ほど紹介したように、平等という概念は憲法14条1項にも取り込まれている概念で、諸外国の憲法にも法のもとの平等について定められている国は多いので、平等というものは法学において議論の蓄積があります。公平性については日本国憲法の中には「公平な裁判所」という概念が出てきますし、法律のレベルでは公平性や関連する概念として公正性という概念が使われることもないわけではないのですが、文脈によって違います。たとえばアメリカの放送法では、かつてはフェアネスドクトリン、これは日本語では公平原則とか公正原則と言われるもので、「政治的に意見が分かれている問題はどちらにも偏るのではなく両方の見解をバランス良く取り上げましょう」という考え方があります。そういった場面で使われることがあるように思えます。

　公平性と平等は何が違うのかを抽象的に議論するのがなかなか難しいところがあると思うのですけど、AIの文脈で議論されている公平性や平等を私なりに理解すると、平等というものは憲法の平等原則で議論されているような、人を合理的な根拠なく区別しないというものとして理解できるのですが、公平性というのは、判断のプロセスの中で、もう少しさまざまな要素を考慮して、バランス良く適正に判断するというニュアンスが込められていると私なりに理解しています。私の理解が適切とは限らないのですが、いろいろなAI関係の原則とか指針でフェアネスという言葉が使われる文脈を見ていくと、どうもそういうニュアンスなのではないかと思います。平等という概念に密接にくっつきながらも、

必ずしもぴったり一致しないところがあるのではないかと、私は考えています。

　法学部の方なので法令データベースとか六法とかで公平という概念を調べていただければ、関連する法令も出てくるのではないかと思います。やはり公平の概念については文脈により、その文脈依存的なところもひとつの公平性の概念のキモなのかなと、私は今のところ理解しています。

宮下　最後の質問へのお答えをお願いします。「AIに関連する倫理規範や法規範については先ほど紹介がありましたが、実際AIに関しての法整備を行っている国は、世界ではまだどこもないのでしょうか」というご質問です。

成原　これも何をもってAIに関する法整備と言うのかにもよると思います。日本でも官民データ活用推進基本法という法律の中に、AIに関する規定が盛り込まれています。著作権法でもAIに関する規定がないわけではないです。そういう意味では何をもってAIに関する法整備と言うのかにもよると思うのですけれども、先ほどのGDPRも直接AIに対する規制というわけではないのですが、AIを念頭に置いたプロファイリングの規制も盛り込まれています。AIに関する法整備ということを正面から言えるものはまだまだ少ないと思いますが、AIの発展を意識してデータ保護を図ったりだとか、著作権の権利制限を図ったりだとか、そういう部分的な法整備は各国で進んでいると思います。ただ先ほど言ったように、これから発展していく分野ですので、まだまだ法制度をきっちり固めるのは未成熟な段階で、国際的な倫理規範の方が先行しているということが言えると思います。

宮下　ありがとうございました。ちょうど時間になりました。最後にしめくくりとして、一言ずつ感想をいただければと思います。では堀田さんから。

堀田　貴重な機会を今回いただきまして、自分の研究としてそこにコミットするかはわかりませんけれど、勉強したいと思います。

統計的差別だけではなく、差別の話はお二人からもご指摘いただいたように、それ自体がまだ未確定というか、全員が一致する答えがないので、さまざまなところで他分野の人とも検討していくことができたらと思います。

明戸　今回十分に議論できなかったこととしては、計量分析についての話が挙げられます。堀田さんに統計的差別を倫理学、哲学の観点からお話していただいてそこはだいぶん議論が進んだかなと思うのですが、私自身は社会学者ではあるのですが計量分析の専門家ではなくて、でも本来はその点はもっと議論すべきことがあったのかなと。実は社会学の計量分析において差別をどう考えるかということは非常に古くて新しい問題で、実際そうした観点からビックデータとか AI に関わっている先輩や友人もいるので、そうした点で社会学が貢献できることはあると思います。

　今回いくつか AI の本を見たりしたのですが、そこでもあまり社会学者が関わっていない感じがしています。先ほど言ったもう少し広い意味での価値観や理念をどうビルトインするかという点でもそうだし、あるいは計量分析の蓄積をどう活かすかということもあるし、自分を含めて社会学が AI の問題にどうコミットしていくのかというのは、今後さらに重要になってくるのかなと今日改めて思いました。ありがとうございました。

成原　私からとくに付け加えることはないのですけれど、先ほど明戸さんがおっしゃったことが重要だと思います。従来社会学者をはじめとする文系の研究者は、正義とかシステムができてから、外から批判することが多かったのですが、それが開発される段階から中に入り込んでいって差別の防止だとか公平性といった視点を入れていった方が良いのではないかという、非常に重要な問題意識だと思います。

　実際欧米における AI の倫理の議論、AI に限らず先端技術での倫理の議論では、まさに開発・設計の段階から倫理とか法とか、社会の視点を入れるべきだという議論が近年とくに有力になっています。先ほど紹

介した IEEE の報告書も、AI 研究者だけではなくて法学者や倫理学者や宗教学者など文系の研究者も入り込んで、AI の倫理の在り方を議論して、それに基づいて AI の設計の在り方において技術標準を定めようということを行っています。

　また EU でも最近ではレスポンシブ・イノベーションという概念が使われるようになっていまして、要は責任を持って新しい技術やイノベーションを行い、その際にはあらかじめ法とか倫理とか社会科学の専門家が入り、倫理や法や社会学の視点を取り込んで研究開発をすべきということが強調されるようになっています。

　日本はまだそういう取り組みが遅れているところがあると思うのですが、今後はそうした人類社会科学の視点というのをあらかじめデザインの段階から取り込んでいくことが重要になってくるかと思いますので、ぜひいろいろと加わっていただければと思います。

宮下　成原さんありがとうございます。今後はそのような流れになっていけば良いなと私も思いました。

　本日は初めて zoom を使わせていただきましたが、約 70 名ほどの方にご参加いただきました。長時間ありがとうございました。

第Ⅲ部
オンラインシンポジウム
「AI と差別」

付録

「国際的な議論のための AI 開発原則」（2017 年 7 月）

「AI 利活用原則」（2018 年 8 月）

参考文献・資料

「国際的な議論のための AI 開発原則」（2017 年 7 月）

①連携の原則……開発者は、AI システムの相互接続性と相互運用性に留意する。

②透明性の原則……開発者は、AI システムの入出力の検証可能性及び判断結果の説明可能性に留意する。

③制御可能性の原則……開発者は、AI システムの制御可能性に留意する。

④安全の原則……開発者は、AI システムがアクチュエータ等を通じて利用者及び第三者の生命・身体・財産に危害が及ぶことがないよう配慮する。

⑤セキュリティの原則……開発者は、AI システムのセキュリティに留意する。

⑥プライバシーの原則……開発者は、AI システムにより利用者及び第三者のプライバシーが侵害されないよう配慮する。

⑦倫理の原則……開発者は、AI システムの開発において、人間の尊厳と個人の自律を尊重する。

⑧利用者支援の原則……開発者は、AI システムが利用者を支援し、利用者に選択の機会を適切に提供することが可能となるよう配慮する。

⑨アカウンタビリティの原則……開発者は、利用者を含むステークホルダーに対しアカウンタビリティを果たすよう努める。

※両原則とも、総務省情報通信政策研究所 AI ネットワーク社会推進会議策定。

「AI 利活用原則」（2018 年 8 月）

①適正利用の原則……利用者は、人間と AI システムの間及び利用者間における適切な役割分担のもと、適正な範囲及び方法で AI システム又は AI サービスを利用するよう努める。

②適正学習の原則……利用者及びデータ提供者は、AI システムの学習等に用いるデータの質に留意する。

③連携の原則……AI サービスプロバイダ、ビジネス利用者及びデータ提供者は、AI システム又は AI サービス相互間の連携に留意する。また、利用者は、AI システムがネットワーク化することによってリスクが惹起・増幅される可能性があることに留意する。

④安全の原則……利用者は、AI システム又は AI サービスの利活用により、アクチュエータ等を通じて、利用者及び第三者の生命・身体・財産に危害を及ぼすことがないよう配慮する。

⑤セキュリティの原則……利用者及びデータ提供者は、AI システム又は AI サービスのセキュリティに留意する。

⑥プライバシーの原則……利用者及びデータ提供者は、AI システム又は AI サービスの利活用において、他者又は自己のプライバシーが侵害されないよう配慮する。

⑦尊厳・自律の原則……利用者は、AI システム又は AI サービスの利活用において、人間の尊厳と個人の自律を尊重する。

⑧公平性の原則……AI サービスプロバイダ、ビジネス利用者及びデータ提供者は、AI システム又は AI サービスの判断にバイアスが含まれる可能性があることに留意し、また、AI システム又は AI サービスの判断によって個人及び集団が不当に差別されないよう配慮する。

⑨透明性の原則……AI サービスプロバイダ及びビジネス利用者は、AI システム又は AI サービスの入出力等の検証可能性及び判断結果の説明可能性に留意する。

⑩アカウンタビリティの原則……利用者は、ステークホルダに対しアカウンタビリティを果たすよう努める。

参考文献・資料

【書籍】

デボラ・ヘルマン著、池田喬・堀田義太郎訳『差別はいつ悪質になるのか』（2018 年、法政大学出版局）

稲葉振一郎・大屋雄裕・久木田水生・成原慧・福田雅樹・渡辺智暁編『人工知能と人間・社会』（2020 年、勁草書房）

キャシー・オニール『あなたを支配し、社会を破壊する、AI・ビッグデータの罠』（2018 年、インターシフト）

スティーブン・J・グールド『人間の測りまちがい―差別の科学史―〈上〉〈下〉』（2008 年、河出書房新社）

野崎綾子『正義・家族・法の構造変換―リベラル・フェミニズムの再定位』（2003 年、勁草書房）

福田雅樹・林秀弥・成原慧編『AI がつなげる社会―AI ネットワーク時代の法・政策』（2017 年、弘文堂）

弥永真生・宍戸常寿編『ロボット・AI と法―ロボット・AI 時代の法はどうなる』（2018 年、有斐閣）

山本龍彦編『AI と憲法』（2018 年、日経 BP）

Eidelson,B., *Discrimination and Disrespect*, Oxford University Press.(2015)

Lippert-Rasmussen,K., *Born Free and Equal? A Philosophical Inquiry into the Nature of Discrimination*, Oxford University Press.(2013)

Schauer,F., "Statistical(and Non-Statistical)Discrimination," *Routledge Handbook of the Ethics of Discrimination*, eds. By Lippert-Rasmussen, Routledge.(2017)

【論文・政府報告書等】

総務省情報通信政策研究所 AI ネットワーク社会推進会議「報告書 2017―AI ネットワーク化に関する国際的な議論の推進に向けて―」（2017 年 7 月 28 日）及び同報告書別紙 1「国際的な議論のための AI 開発ガイドライン案」

総務省情報通信政策研究所 AI ネットワーク社会推進会議「報告書 2018―AI の利活用の促進及び AI ネットワーク化の健全な進展に向けて―」（2018 年 7 月 17 日）

総務省情報通信政策研究所 AI ネットワーク社会推進会議「報告書 2019」（2019 年 8 月 9 日）及び同報告書別紙 1「AI 利活用ガイドライン～ AI 利活用のためのプラティカルリファレンス～」

内閣府「人間中心の AI 原則」（2019 年 3 月 29 日）

森悠一郎「統計的差別と個人の尊重」『立教法学』100 号（2019 年）

山本龍彦「ビッグデータ社会とプロファイリング」論究ジュリスト 18 号（2016 年）

European Commission (High Level Expert Group on AI), Ethics guidelines for trustworthy AI(2019)

FTC REPORT, BIG DATA: A TOOL FOR INCLUSUIN OR EXCLUSION? (January 2016)

Lippert-Rasmussen,K., "Nothing Personal : On Statistical Discrimination," *Journal of Political Philosophy*15.4.(2007)

OECD, Principles on AI (Recommendation of the Council on Artificial Intelligence)(2019)

THE IEEE Global Initiative on Ethics of Autonomous and Intelligent Systems, Ethically Aligned Design-First Edition(2019).

【講師等プロフィール】

講師：成原慧 （九州大学准教授、情報法）

九州大学法学研究院准教授。専門は情報法。東京大学大学院学際情報学府博士課程単位修得退学。東京大学大学院情報学環助教、同客員研究員、総務省情報通信政策研究所主任研究官等を経て、2018 年より現職。インターネット上の表現の自由やプライバシー・個人情報に関する法的問題のほか、最近では人工知能（AI）・ロボットに関する法的問題の研究にも取り組む。おもな著書に『表現の自由とアーキテクチャ』（勁草書房、2016 年）、『AI がつなげる社会――AI ネットワーク時代の法・政策』（共編、弘文堂、2017 年）、『人工知能と人間・社会』（共編、勁草書房、2020 年）ほか。

コメンテーター：明戸隆浩 （法政大学特任研究員、社会学）

法政大学特任研究員。2019 年度まで東京大学大学院情報学環特任助教。東京大学大学院人文社会系研究科博士課程単位取得退学。専門は社会学、社会思想、多文化社会論。おもな著書に『排外主義の国際比較』（共著、ミネルヴァ書房、2018 年）など。訳書にエリック・ブライシュ『ヘイトスピーチ』（共訳、明石書店、2014 年）など。

コメンテーター：堀田義太郎 （東京理科大学講師、哲学・倫理学）

東京理科大学講師。大阪大学大学院医学系研究科博士課程修了。日本学術振興会特別研究員などを経て、現職。専門は哲学、倫理学。近年はおもに差別論を研究。おもな著書に『老いを治める――老いをめぐる政策と歴史』（共編、生活書院、2011 年）、『差異と平等――障害とケア／有償と無償』（共著、青土社、2012 年）など。主な翻訳に『差別はいつ悪質になるのか』（デボラ・ヘルマン著、共訳、法政大学出版局、2018 年）。

コーディネーター：宮下萌 （IMADR、弁護士）

IMADR ブックレット　19
ＡＩと差別

2020 年 7 月 15 日　初版第 1 刷発行

編集・発行　　反差別国際運動（IMADR）
　　　　　　　〒 104-0042　東京都中央区入船 1-7-1
　　　　　　　松本治一郎記念会館 6 階
　　　　　　　Tel：03-6280-3101/Fax：03-6280-3102
　　　　　　　e-mail：imadrjc@imadr.org
　　　　　　　https://www.imadr.net

発売元　　　　株式会社解放出版社
　　　　　　　〒 552-0001　大阪府大阪市港区波除 4-1-37 HRC ビル 3F
　　　　　　　Tel：06-6581-8542/Fax：06-6581-8552
　　　　　　　http://www.kaihou-s.com
　　　　　　　東京事務所
　　　　　　　〒 113-0033　東京都文京区本郷 1-28-36 鳳明ビル 102A
　　　　　　　Tel：03-5213-4771/Fax：03-5213-4777

印刷・製本　　モリモト印刷株式会社

ISBN978-4-7592-6795-2
定価は表紙に表示しています。　落丁・乱丁はお取り替えいたします。

反差別国際運動（IMADR）◇出版物一覧

◆『現代世界と人権』シリーズ◆

（A5判／とくに表示のないものは、定価1,800〜2,000円＋税／在庫があるもののみ表示）

7 国際社会における共生と寛容を求めて

マイノリティ研究の第一人者パトリック・ソーンベリーさんの国連「マイノリティ権利宣言」採択後にまとめたレポートを翻訳紹介。あわせて「宗教に基づく不寛容と差別を考える集会」の概要も紹介。 (1995年)

13 世紀の変わり目における差別と人種主義

2001年の「反人種主義・差別撤廃世界会議」に向けて、世界の差別の実態を明らかにし、グローバリゼーションがマイノリティの人権におよぼす影響とそれに対する闘いについてさぐる。 (1999年)

15 国連から見た日本の人種差別 ——人種差別撤廃委員会審査第1・2回 日本政府報告書審査の全記録とNGOの取り組み

2001年3月にジュネーブで行なわれた人種差別撤廃条約の日本政府報告書初審査の全審議録、政府追加回答文書、人種差別撤廃委員会最終所見、同解説を全収録。審査に向けた政府報告書、NGOレポート、審査事前事後のNGOの取り組みを含め、さまざまな関連情報を掲載。 (2001年／定価2,600円＋税)

17 マイノリティ女性の視点を政策に！社会に！ ——女性差別撤廃委員会日本報告書審査を通して

欠落していたマイノリティ女性の視点と政策は、女性差別撤廃委員会日本報告書審査を通して、重要課題となった。審査を活用したマイノリティ女性の取り組み・主張、マイノリティ女性に対する複合差別が国際舞台でどう扱われてきたかなど重要資料20点所収。 (2003年／定価2,200円＋税)

18 人権侵害救済法・国内人権機関の設置をもとめて

「人権侵害救済法」（仮称）法案要綱・試案および同補強案の背景にある視点や取り組みの経緯、地方自治体の取り組みや国際的な情勢などを紹介。関連文書や国内外の動向を含む資料も豊富に掲載。 (2004年)

19 グローバル化の中の人身売買 ——その撤廃に向けて

「人身売買の被害者の人権」という視点から、問題解決につながる道筋をつけるべく編集された1冊。人身売買を生み出す原因や、日本における実態、現在の法的、行政的制度・計画の問題点、人身売買撤廃と被害者の救済・保護についての論考や豊富な資料を掲載。 (2005年)

20 「周縁化」「不可視化」を乗り越えて ——人種主義・人種差別等に関する国連特別報告者の日本公式訪問報告書を受けて

国連の人種主義・人種差別等に関する国連特別報告者の日本公式訪問報告書を受け、日本における人種差別を社会的・歴史的背景をふまえて再考することを試みた一冊。人種差別に関する世界的情勢に加え、国内の当事者による主張や国連機関による分析・評価などを収録。 (2006 年)

21 立ち上がりつながるマイノリティ女性 ——アイヌ女性・部落女性・在日朝鮮人女性によるアンケート調査報告と提言

3 者が自分たちが抱える問題解決にむけて、教育・仕事・社会福祉・健康・暴力の分野で共通設問を設定し、はじめての調査を実施。その報告と提言のほか、女性たちの声も収録。 (2007 年／定価 2,200 円＋税)

22 国連と日本の人権 ——NGOから見た普遍的定期審査

国連人権理事会に新設された「普遍的定期審査」(UPR) 制度のもとで、日本の人権状況が初めて審査された。NGO の視点からこの制度を分析し、審査の流れを追い、その過程への NGO の効果的なかかわりのあり方を探る。 (2009 年)

23 先住民族アイヌの権利確立に向けて

日本政府は 2008 年、アイヌ民族を日本の先住民族と認め、アイヌ政策に関する有識者懇談会を設置、翌年 7 月に報告書が提出された。権利回復運動の現場から寄せられた論考に加え、国連宣言、国連人権文書におけるアイヌ民族に関する記述の抜粋、重要な関連法、上記懇談会の報告書全文を収録。 (2009 年)

24 今、問われる日本の人種差別撤廃 ——国連審査とNGOの取り組み

2010 年 2 月、人種差別撤廃委員会が行なった日本報告書の審査の全容を収録。とくに委員会の質問と日本政府代表の答弁からなる 6 時間の審議録は、国際人権基準について国連と日本政府の見解の相違を浮き彫りにしている。 (2010 年／定価 2,300 円＋税)

25 レイシズム　ヘイト・スピーチと闘う ——2014年人種差別撤廃委員会の日本審査とNGOの取り組み

2014 年人種差別撤廃委員会による日本審査の記録本。審査会場での NGO の取り組み、2 日間に及ぶ委員会と日本政府のやりとり、審査に関わった人種差別撤廃 NGO ネットワークのメンバーによる勧告の読み解きと提言などが満載。さらに、元 CERD 委員のソーンベリー教授による特別寄稿が続きます。国連は日本のレイシズムをどう見ているのか、必見の一冊。 (2015 年／定価 2,000 円＋税)

26 人種差別に終止符を。——2018年国連の日本審査とNGOの取り組み

2018 年人種差別撤廃委員会による日本審査の記録本。NGO が提出したレポートのすべて、2 日間にわたる委員会と日本政府の対話、審査に関わった NGO メンバーによる勧告の読み解きなどが満載。さらに、元 CERD 委員のアナスタシア・クリックリーさんによる特別寄稿も。 (2019 年／定価 2,000 円＋税)

◆『IMADR ブックレット』シリーズ◆

（とくに表示のないものは A5 判／定価 1,000 円＋税／在庫があるもののみ表示）

への権利」について、そして平和に生きる権利の実現を妨げるものは何かについて考える糸口を提示する。　　　　　　　　　　　　　　　（2011 年／定価 1,200 円＋税）

15　企業と人権　インド・日本　平等な機会のために

経済成長と民営化により民間部門が急速に拡大したインドにおけるダリットの経済的権利の確立と包摂に向けた課題と、民間部門における積極的差別是正政策の可能性について、ダリットの活動家と研究者が考察を行なう。　（2012 年／定価 1,200 円＋税）

16　日本と沖縄　常識をこえて公正な社会を創るために

日本と沖縄。なんでこんなに遠いのか。歴史をひもとき、世界の潮流にふれ「常識」の枠をこえて公正な社会創りへの道を問う。沖縄からの声に対する本土からの応答も試み、国連が沖縄に関して言及している資料も掲載。　（2016 年／定価 1,000 円＋税）

17　サプライチェーンにおける人権への挑戦

ビジネスの世界においてグローバル化が進む中、インドでは労働者の権利が守られないまま女性や子どもが労働力として搾取されています。サプライチェーンにおいてこのような人権侵害が起こることを防ぐ視点は企業だけではなく、消費者である私たちにも求められています。　　　　　　　　　　　　（2017 年／定価 1,000 円＋税）

18　先住民族の言語と権利 ——世界と日本

国連先住民族の権利宣言が示すように、先住民族の権利が実現されるためには、それぞれのアイデンティの確立が保障されなくてはなりません。本書は、その重要な要素の一つである言語にフォーカスし、世界で存続が危ぶまれる先住民族の言語の現状について報告するものです。　　　　　　　　　　（2019 年／定価 1,000 円＋税）

◆その他の出版物◆

ナチス体制下におけるスィンティとロマの大量虐殺
　——アウシュヴィッツ国立博物館常設展示カタログ・日本語版）

第 2 次世界大戦下におけるナチス・ドイツによる「ホロコースト」は、ユダヤ人だけではなく、スィンティやロマと呼ばれている人びとも、アウシュヴィッツをはじめとした強制収容所で 50 万人以上が虐殺された。ポーランドのアウシュヴィッツ国立博物館常設展示されている「ナチス体制下におけるスィンティとロマの大虐殺」の展示物日本語版カタログとして刊行した書。　　　　（2010 年／定価 4,000 円＋税）

■お問合せ■　反差別国際運動（IMADR）

〒 104-0042　東京都中央区入船 1-7-1 松本治一郎記念会館 6 階

　◆会員割引有◆ TEL：03-6280-3101　FAX：03-6280-3102　E-mail：imadr@imadr.org

■お申し込み■同上、または（株）解放出版社　TEL：06-6581-8542　FAX：06-6581-8552

東京営業所　TEL：03-5213-4771　FAX：03-5213-4777

反差別国際運動(IMADR)に参加しませんか？

❀ IMADR とは

反差別国際運動（IMADR）は、部落解放同盟の呼びかけにより、国内外の被差別団体や個人、国連の専門家などによって、1988 年に設立された国際人権 NGO です。1993 年には、日本に基盤を持つ人権 NGO として初めて国連との協議資格を取得しました。スイスのジュネーブにも事務所を設置し、マイノリティの声を国連に届け、提言活動に力を入れています。

❀ IMADR の活動内容

IMADR は、以下の活動テーマへの取り組みを通じて、差別と人種主義、それらとジェンダー差別が交差する複合差別の撤廃をめざしています。

- 部落差別・カースト差別の撤廃
- ヘイトスピーチを含む移住者に対する差別の撤廃
- 先住民族の権利確立
- マイノリティの権利確立
- マイノリティ女性と複合差別の問題
- 国際的な人権保障制度の発展とマイノリティによる活用の促進

草の根レベルで「立ち上がる」
差別をされてきた当事者がみずから立ち上がり、互いにつながることが、差別をなくすための第一歩です。

「理解」を深める
差別と人種主義は、被差別マイノリティのみの課題ではなく、社会全体の課題です。

「行動」につながる調査・研究
効果的な活動のためには、調査・研究が大切です。

情報と経験の「共有」
さまざまな立場・現場にいる人びとが情報と経験を共有することが、変化をもたらす源になります。

よりよい「仕組み」や「政策」を求めて
差別の被害者を救済し、奪われた権利を取り戻し、差別や人種主義を防ぐためには、政治的意志と適切な法制度が不可欠です。

❀ 大切にしている視点

EMPOWERMENT―立ち上がり 被差別の当事者が、差別をなくすためにみずから立ち上がり活動すること。

SOLIDARITY―つながり 被差別の当事者が連携・連帯すること。

ADVOCACY―基準・仕組みづくり 被差別の当事者の声と力によって、差別と人種主義の撤廃のための仕組みが強化され、それらが被差別の当事者によって効果的に活用 されること。

❀ IMADR の活動に参加しませんか？

活動に参加する
IMADR が発信する情報を入手したり（ニュースレターや出版物の購入、メールマガジンへの登録など）、それを周囲の人びとに紹介したり、さまざまなイベントやキャンペーン、提言活動に参加するなど、いろいろな方法で活動に参加できます。

活動を支える
IMADR の活動は、多くの個人・団体の皆さまからの賛助会費と寄付によって支えられています。ご入会頂いた方には、ニュースレター「IMADR 通信」（年4 回発行）や総会の議案書、IMADR 発行の書籍（A会員と団体会員のみ）を お届けします。詳細は、ウェブサイト（www.imadr.net）をご覧頂くか IMADR 事務局までお問い合わせください。

IMADR 年会費		振込先
個人賛助会員A	¥10,000	郵便振替口座 00910-5-99410
個人賛助会員B	¥5,000	加入者名　反差別国際運動
団体賛助会員	¥30,000	

活動をつくる
さまざまな活動づくりに関わるボランティアを募集しています。ボランティアの活動内容は、文書・記録・展示物などの作成や、各企画のための翻訳、主催イベントの運営、特定の活動の推進メンバーになるなど、さまざまです。関心のある方は、IMADR 事務局までお問い合わせください。

反差別国際運動 (IMADR)
The International Movement Against All Forms of Discrimination and Racism
〒 104-0042 東京都中央区入船 1-7-1 松本治一郎記念会館 6 階
Tel: 03-6280-3101 Fax: 03-6280-3102 Email: imadr@imadr.org
Tel: 03-6280-3101 Fax: 03-6280-3102 Email: imadrjc@imadr.org

IMADR